灌溉排水系统管理

(澳大利亚)马兰努
(荷兰)鲍·胡夫根 　等著

苗长运　　张厚玉　　沈秀珍　译

黄河水利出版社

图书在版编目(CIP)数据

灌溉排水系统管理/(澳大利亚)马兰努,(荷兰)鲍·胡夫根等著;苗长运等译.—郑州:黄河水利出版社,2005.5

书名原文:Management of Irrigation and Drainage Systems

ISBN 7 - 80621 - 862 - 9

Ⅰ.灌…　Ⅱ.①马…　②苗…　Ⅲ.排灌系统 - 灌溉管理

Ⅳ.S274.3

中国版本图书馆 CIP 数据核字(2005)第 121878 号

出　版　社:黄河水利出版社
　　　　　地址:河南省郑州市金水路 11 号　　邮政编码:450003
发行单位:黄河水利出版社
　　　　　发行部电话及传真:0371 - 66022620
　　　　　E-mail:yrcp@public.zz.ha.cn
承印单位:黄河水利委员会印刷厂
开本:850mm×1 168mm　1/32
印张:8.75
字数:220 千字　　　　　　　　　印数:1—1 000
版次:2005 年 5 月第 1 版　　　　　印次:2005 年 5 月第 1 次印刷
书号:ISBN 7 - 80621 - 862 - 9/S·62　　　　　定价:20.00 元
著作权合同登记号:图字 16 - 2005 - 10

前　言

　　本著作旨在对灌溉排水系统管理开发服务方面的必要原则提供一个总体看法,讲述的内容是在灌溉排水管理文化中易被忽视的一些区域。这些领域之所以被忽视,是因为在20世纪80年代政府灌溉排水政策的转化,简而言之,这些私有化政策必然导致灌溉排水系统的可持续性和农业产品的改善。

　　本书包含的信息,即如果一些改进要付诸实施,则灌溉管理的服务原则需要包容在法律权力机制、公共公司与私有组织中。简单的“再配置”似乎不可能对灌溉的农业生产率获得巨大改善,也不会达到广泛的一体化水资源管理的目标。书中蕴涵的哲学含义在于灌溉排水系统必须作为服务业进行管理,该服务业要对不断变化的客户需求负责。在灌溉方面,这些客户主要是农民;而在排水系统情况下,包括了城市和工业领域。我们相信这些灌排系统的服务途径构成了关键的策略要素,这些策略对于改善许多现存系统的水平是必需的。如果我们不得不面对无数的难题,并生产足够的粮食以满足日益增长的世界人口对环境和水的需求,那么改善我们的服务功能是一个重要的前提条件。该书强调的是应该做什么和由谁去做,而不去阐述怎样去执行这些服务功能。该书在传统的灌溉原理和基于服务组织管理的基本管理理念中搭起了连接的桥梁。该书展示的内容既包含了灌溉排水技术的文化内涵,也包含了灌溉排水的几种服务原则。许多服务内涵已发展到商业及工业应用领域。这些概念广泛地适用于灌溉排水服务,具有很强的实用性。

本书的内容主要基于作者的教学和研究成果。几年来,作者一直在将书中的内容传授给中级或高级的管理者以及澳大利亚墨尔本大学及荷兰国际基础水利与环境学院的研究生。

第1章提出了灌溉排水在全球粮食和纤维产品生产中的历史作用及未来此领域内面临的挑战。对为什么迫切需要改进灌排系统以充分发挥灌溉农业的潜力和如何可持续地增加农业产品提供了一个基本原理。

第2章重点介绍了灌排组织的外部管理环境。强调了作为公共资源的水的特征并突出阐述了水资源一体化管理的基本原则;也提供了在政府、灌排组织及用户之间的不同利益甚至有时矛盾冲突的处理意见。

第3章重点介绍了灌排组织的管理程序。介绍了管理、策略规划及其在灌排定向服务中作用的基本原理。

第4章详细阐述了灌排服务的基本理论和基本要素。讨论了主要的决定因素和服务规范的形成所必须考虑的条件,也讨论了所需的不同类型的责任标准和确保服务方向的运行机制。

第5章阐述了服务水平与必要的水力控制及服务标

准所必需的管理投入之间的重要关系。各种水流控制概念的类型与所关联的操作需求一起讨论。本章为建立服务标准与服务成本之间的联系提供了基础。

第6章为灌排设施财产的可持续管理提供了基础。该途径旨在提供一套使灌排组织确定实际灌排成本的方法,对执行财产管理的方法和框架也进行了详细的讨论。

第7章讨论灌排系统作为组织管理框架紧密联系所执行的评估。通过与服务相联系的组织管理的评价对属于管理组织的内外部执行情况进行了概括评述。

第8章概括了发展的潜力和机会,介绍了作为共同反映的许多灌排系统所面临的难题。本章强调,定向服务管理不能被孤立地看待,但应看到水资源利用和管理的广泛关系。

本书材料展示所采取的格式包括了表格、图和方框图。表格和图用以辅助解释概念和原理,而方框图主要用来提供实际灌排系统结构以及阐述主要原理的举例材料。

我们希望本书展示的内容会在灌排管理的定向服务转化中起到一些作用,因为在过去的几十年中,这些定向服务在许多灌排系统中表现很差。

在该书的准备过程中,许多同事、辅助人员及朋友给予了无私的帮助,在此表示真诚的谢意。同时特别感谢胡夫根老师,他为我们提供材料并给予了很珍贵的评价和有用的帮助;为享用研究成果和有见地的评语,我们也特别感谢巴特斯乃林教授；我们还要感谢大卫康斯特宝，是他提出了许多有创意的概念并给予了我们鼓励和前瞻性的看法；还要感谢亨利，他为本书提供了指导；还要感谢巴特斯处斯，他为本书提出了许多评价并在本专著的校核中提供了帮助。最后，感谢所有在编辑过程中帮助我们的人们，特别是福拉和皮特二位老师。

热诚欢迎读者对本书提出评价和批评。

本书的读者对象是灌排系统的管理者、规划者以及灌排和水资源管理专业的学生。

澳大利亚默尔本　马兰努

荷兰德尔伏特　鲍·胡夫根

目 录

第1章 灌溉农业的结构

灌溉排水的目的是管理系统使水能够灌溉农田,并且使生产者能够在利用系统后生产出具有最大产量和最好质量的庄稼。所以,灌溉管理者的成功要依靠农民的成功来表现。

灌溉和排水在全球食物和纤维产品的生产中起着非常重要的作用。然而,水的不合理分布、灌溉和排水基础结构的不恰当的管理使作物生长所需要的水分不足,加上世界上许多地区土壤肥力日益退化,将会降低粮食的产量,要解决这个问题就要求现有灌溉系统的地区在有限的可利用率中扩展系统的可用性,充分发挥系统的潜力,改善土壤质量和改进灌溉排水系统。因此,改进灌溉排水系统的管理结构是提高农业生产潜力的可行的方法,而且物质基础的要求迫使管理者不得不进行革新。

1.1 灌溉与排水的重要性

当今世界可灌溉土地超过 2.75 亿 hm^2。近 10 年来水田的灌溉面积以每年 $4 \times 10^6 hm^2$ 或 1.5% 的速度稳步增加,此外,大约 1.5 亿 hm^2 的土地仅仅有一个排水系统,而新的灌溉计划将显著地提高水稻、小麦和其他庄稼的产量。图 1.1 表明了灌溉地区的这一发展趋势。这种发展使许多国家可以自给自足(暂时),一些国家甚至还可以出口。然而,来自人口增长的威胁以及按人口计算的消费和可利用的水土资源的减少成为制约地区发展的严重因素。

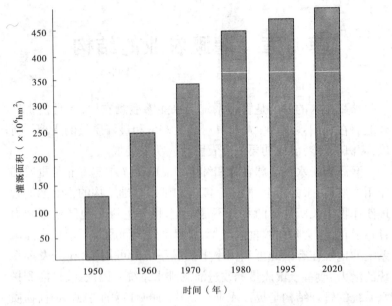

图 1.1　1950~2020 **年灌溉面积的变化**

1.1.1　人口增长

现在世界人口接近 60 亿,在 21 世纪下半世纪将达到 80 亿。按目前的增长率,到 2020 年世界人口将达到 77 亿(联合国,1996 年)。按较低的人口增长率计算,在未来 40 年世界人口将稳定在 80 亿。按中等或较高人口增长率计算,世界人口到 2050 年达到 100 亿到 120 亿。95% 的人口增长发生在发展中国家,发展中国家的人口增长率将从 1995 年的 79% 增长到 2020 年的 84%。在这个时期,人口的绝对增长值在亚洲是最高的,但相对增长率在非洲次撒哈拉地区是最大的,2020 年那里的人口几乎超过了目前的两倍。

1.1.2　按人口计算每年可再生的水资源

除非处理得当,水资源的供给将成为能否解决全球粮食产量关键的一环。世界上每人每年可再生水资源的补给大约是7 000m³,这个人均供应量随着国家和季节的不同变化很大。在有些地区,像中东和北非,年平均供应量经常低于1 000m³。随着人口的不断增长,人均水获取量正呈现下降趋势。1994 年联合国人口预测趋势图显示,在 21 世纪中叶,居住在此星球上的 100 亿人中有 44 亿生活在 58 个缺水或用水紧张❶ 的国家(国际人口法案,1995 年)。

用于各种用途的水资源总量是比较低的。基于此,它似乎显示,对于进一步开发新的灌溉面积没有特别的水资源限制。然而,全球用水图掩盖了水资源利用的地区差异。事实上,世界上有许多流域如尼罗河,其水资源几乎开采殆尽。其他河流,例如越南的湄公河,在水质尚可利用的情况下,由于暂时的流量变化限制了农业用水的膨胀,需要通过额外的水量调节,才能满足水量需求。

1.1.3　日益增长的淡水竞争

与其他用水相比,农业灌溉用水比率非常高。在世界范围内,大约 70% 的开采水量用于灌溉(联合国粮农组织,1996 年)。表 1.1 说明了各大洲的用水比例。

各国人口的分布随着城市区域的迅速扩展而变化很快。各个发展中国家人口的增长和城市化的扩展也变化巨大。从 2000 年预测,人口增长趋势大体上是到 2025 年全球将有超过 60% 的人口居住在城市。因此,家庭和工业用水的供应将会有显著的增加。

家庭和工业用水需求如此迅速地增长必然降低农业的用水

---

❶　缺水是指每年人均可再生水资源少于 1 000m³。用水紧张是指每年可利用水的再生量大致在 1 000~1 700m³。

量。国际食品政策研究院对水需求的预测显示,全球的水开采量在 1995~2020 年将增加 35%;其中,在发展中国家 80% 的水量增加用于工业。预计发展中国家家庭和工业用水比率将翻一番,即从 1995 年的 13% 增加到 2020 年的 26%。然而,比较集中的用水也会导致水质的恶化,有必要采取额外的措施来保护淡水和土壤免遭日益严重的城市污染。用户水量的竞争已经影响到了灌溉农业,特别在干旱或半干旱的缺水地区,这种竞争日趋激烈。用水的压力随着水量供应的紧张和用水矛盾的增加会变得越来越严重。解决这些矛盾的办法是修订水权法律和水量分配规则。未来会引起这样的争论,即水价是否将更加与其真正的经济价值密切关联。这种争论肯定会影响灌溉农业,因为每单位水量的耗费,其市场的价值较低。例如,在干旱或半干旱地区,每立方米水只能生产 1kg 玉米;对于许多半干旱或干旱地区来说,尽管可以利用可再生水,但进口 1t 农业用水生产 1kg 玉米是不划算的。这些地区不得不用更多的本地水满足家庭需求而用外币买进口食品以满足生活之需。

表 1.1　　　各大洲各领域的用水统计(联合国粮农组织,1996 年)

洲别	农业(%)	家庭(%)	工业(%)	总计($\times 10^9 \mathrm{m}^3/\mathrm{a}$)
非洲	88	7	5	144
亚洲	86	6	8	1 531
苏联	65	7	28	358
欧洲	33	13	54	359
北美及美洲中部	49	9	42	697
大洋洲	34	64	2	23
南美洲	59	19	23	133
全球	69	8	23	3 245

1.1.4　人均可耕地的减少

土壤在合理的时间范围内基本上是有限的和不可再生的自然资源。目前,在世界上 32 亿 hm^2 有开发潜力的土地中,只有一半已被开垦。拉尔和皮埃尔指出,世界上人均可耕地面积将大幅度地减少,即由 2000 年的人均 $0.23hm^2$ 降低到 2050 年的 $0.15hm^2$,到 2100 年世界人口稳定时,人均可耕地将下降到 $0.14hm^2$。他们也估计到,在最低限度的生产情况下,满足适当食物需求的人均最低可耕地面积是 $0.5hm^2$。在降雨灌溉或自然排水条件下,农业生产率的提高可以抵消可耕地的减少。退化土地的恢复是一种生态和社会经济必要因素,以满足地球上生命的基本需求,包括人和动物。

从长远来说,到 2020 年,80 亿人口的食品需求量无疑需要更多且急剧增长。国际水管理研究院的最近研究显示,大概 80% 的食品供应由发展中国家的干旱地区的低生产能力的灌溉农业来提供。其他人,例如克鲁斯坚持认为,世界上大量食品的供应最终由气候适宜的欧洲、北美和俄罗斯来生产。

1.2　灌溉排水系统的低劣条件

在最近的 10 年中,尽管全球的粮食生产获得了巨大产量,但政府和发展研究机构的政策决策者们也提出批评,并表现出了对灌溉农业的可持续性和执行情况的担忧。许多灌排系统的执行情况由于以下缺点,远远低于其发展的潜力:

(1)由不充分的操作细节或不能完成的建设和工作上的设计推断而导致的低劣的原始设计。

(2)系统的布局不能充分反映现存的地貌或不能满足家庭或农业管理的社区协会的要求。

(3)拙劣的、不适当的或不充分的管理环境。

(4)管理组织内部的低劣的管理系统。

这些缺点的最明显的表现是主要系统供水的不可靠和系统日常维护的缺乏。农业水管理的改善经常由于水供应的短缺而受到妨碍。用水户自发组织起来参与输水系统的操作和管理,如果用水服务不周到或不可靠他们也不愿意付水费。用于系统维护的资金不足和资金的无效使用也会导致灌排系统迅速恶化的后果,并会进一步导致例如水分配不公平和降低生产率等问题。涝灾和灌溉土地的盐碱化加之低劣的灌溉管理和排水设施的匮乏一起导致了土地的退化。因此,大约 0.25 亿 hm^2 的土地实际上由于受到上述问题的影响而生产不出任何东西。

全球高峰会议(联合国环境与发展大会,1992 年)详细考察了灌溉区域和环境影响及其可持续性,他们认为:

(1)灌溉使用了太多的淡水,大约占全球淡水使用量的 70%。

(2)灌溉导致了涝灾和盐碱化,有些估计显示世界上 50% 以上的灌溉土地存在排水问题,大约 24% 的土地因盐碱化导致产量降低。

(3)通过施用杀虫剂、农业化肥及排放盐碱化的水,污染了用于灌溉的淡水资源。

(4)利用居住社区排出的水来灌溉会影响人类的健康。

除了上述这些问题以外,还有一个十分普遍的令人担忧的问题,即灌溉的财政支持。开发公共灌溉系统的投资费用几乎总是部分地或全额地拨付,用于系统维护和操作的再发生费用几乎很难再从用户中获取,这就意味着灌溉经常代表政府财政的巨大支出。而且,灌溉设施的状况恶化迅速,情况非常严重。在 20 世纪50～60 年代,大部分灌溉开发资金用于新灌溉土地的开发。低劣的运行状况和维护经常导致灌溉设施寿命的迅速降低和农民有效供水量的损失。从 20 世纪 70 年代至今,投资策略的重点转向到设施的恢复和现代化建设。过去研究制定的许多灌溉计划由于设施的提前老化都经历了周期性修复工作,这些老化的设施大多经历了建设—老化—修复(重建)的循环过程。这些现存的设施需要恢复进一步证实了设施维护的缺乏和上述问题存在的根本原因。

周期性修复问题主要归因于维修资金的短缺。然而,这只是问题直接的原因,实际上,产生这些问题的原因还有缺乏管理组织问题。这些管理组织是必要的,它能够起到以下作用:

(1)调节灌区计划维护和运行的成本。

(2)贯彻适当的政策以确保有足够的国家税收来提供这些维修资金。

维修的缺乏是新灌区开发投资水平降低的主要因素之一。而且,因为低成本的工程已经开发完成,越来越多的用水户的竞争和更高的新工程的开发成本,未来的灌溉投资与开发可能更困难。在世界范围内,从 1995~2020 年灌区的开发面积预计会以每年平均 0.6% 的速度增长,而在 1982~1993 年不足半数的开发面积以 1.5% 的速度增长。未来灌溉排水领域所面临的挑战是如何在资金和环境上的开发和维护以应付下列情况:

(1)未来粮食的需求量跟上世界人口增长的速度。

(2)日益增长的农业和非农业用水的竞争。

(3)可用农业土地的减少。

为应对上述这些挑战,灌溉排水需要土地与水资源的一体化管理。一体化管理与下列的管理应共同起作用:

(1)用水量的平衡管理。

(2)营养物与食盐的平衡管理。

(3)财政平衡管理。

1.3 政府方针与规划环境

直到最近,大量的补助资金才以粮食自足和现有农民利益均等分配的名义得到落实。政府和开发代理从用水户中获取足够的运行维护费是一贯的政策主张。然而,收费水平一直滞后于服务和维护所发生的实际费用,收费率也一直保持在 10% ~ 50% 之间。面对农业贸易额的下降,现存系统运行补助螺旋式地递减及新开发机遇的减少,政府在灌溉领域和农村用水区域,正主动进行微观的经济改革。

在许多国家的政策中,农村的发展、农业的集约化形成及灌溉土地的开垦都已失去了原来的优先待遇。因为,政府可以向曾经发展迅速的城市提供足够的水量和卫生条件。尽管私有资金对家庭用水的投入机会很大,而这些市政服务价格在未来的 20 年中,需要相当大的公众集资和国际贷款。

针对日益增加的国家和地方的水资源竞争,灌溉已成为主要的用水户,国家和地方也开始成为前期政策制定者。短缺的水资源再分配及其在世界经济活动中的重要用途已成为全球关注的焦点。

现在灌溉的管理者和规划者的宽泛政策本身能够简要地总结如下:

(1)导致投资下降的日益增加的资金竞争,不仅存在于新的管理系统而且存在于相关的维护、修复和功能不完善的设施现代化管理方面。

(2)政府要求灌溉系统从水费中支出系统运行和维护的高的比例成本。

(3)系统改进的资金尽量由用水户提供。

(4)经济效率特别是大的、公有的灌溉系统的效率提高,可以通过增加管理效率、提高技术服务、降低成本和提高总的产量来实现。

(5)在系统运行的评价和管理中有更多的用水户参与,其中部分高额付费用于管理。

同时,一些农业领域的开发大致上也在以下情况下进行:

(1)生产补助的取消,如化肥供应,特别是随着私有区域的产量和零售产品的增加。

(2)各农业分支的服务范围和水平的降低及在减轻贫困和基本的农民补助中主要靠非政府组织的支持。

(3)农业研究资金水平的下降和研究标准的改进更接近于农民的需求。

(4)所关注的稳定的和可持续的农业系统的增加。

(5)大规模的土地和水管理方法(例如统一的流域管理)标准,是基于低水平的社区参与。

因此,发展中国家的农业政策制定者难以抉择的是在日益严重的洪水中如何获得较长策略计划和怎样从现有的灌溉排水设施最小的投入中获得一个改进的经济运行机制。在某一程度上,两个问题是合适的,因为开发新的灌溉土地的选择性很少,且必须提高生产率才能增加产量。现在,改善灌溉系统被看做是提高农业生产率的跳板。总之,有六种政策方法可以改进灌溉管理及其经济的发展能力:

(1)公共领域官僚体制的改革,有时他们的主要作用需要再确定,例如灌排代理处涉及太多的规划和管理而对建设和设施开发关心很少。

(2)运行与管理责任的转移及灌溉系统所有权转移到用水户,即灌溉管理的转移。

(3)合理价格结构的采用。至少包含灌溉供应系统的服务成本,这包括改进的总成本,这些成本是基于体积的测量和输水量的收费情况。

(4)经济手段和市场的运用例如机制的运用,以帮助重新分配水量到高价值的用水区域,特别是季节性水交易的授权机制和农业领域的水权交易。长时期内,在各部门之间的永久的补助和水市场的开发会成为未来发展的趋势。

(5)新系统建设的私有资金的吸收和作为商业企业的完全系统所有权的管理。

(6)积极支持并鼓励连续地使用地下水,灵活地供应水量以补充地表灌溉系统的匮乏。

有时政策、社会经济原则和法律的执行和实施是不够的,决策者更趋向忽视技术和管理两者之间的相互作用。许多水供应系统的设计局限性不应当遗漏,而当在设施老化或失去效用时,对其管理和设计以使之恢复功能的机会也不能错过。这本身需要进一步的训练和扩充容量并耐心劝导设计者遵循"设计为了管理"的原则。

灌溉工业不仅必须使用较少的水量并将使有限的水转化成高价值的其他用途,而且必须提高使用率以使每棵庄稼使用较少的水。从长远计划来看,农业的集约化和植物基因的改良也需要改进灌溉计划和控制水量,而此项工作按照政府的议事日程还处于初级阶段。从中期计划来看,改善了人们的经济生活,而成功的政策将会是平衡自足资金的支撑和对农村贫困的目标支持。

1.4　过去的教训和灌排管理新运行机制的必需条件

如以上几节所讲,无疑灌溉农业在保持甚至超过粮食增长速度方面起着关键的作用。同样,很显然许多灌溉开发项目的运行状况在规划阶段缺乏预想的利益。对于产生这些缺点的原因,人们也进行了许多思考。冯·丹图恩们探讨过与陈旧的灌溉状况相关联的组织机构原因。他们认为农业的集约化和粗犷式的开发,其主要措施之一是经常性的投资;也一致认为,主要的灌溉系统由于低劣的运行状况而缺乏有效的管理。因此,必须根据农作物的用水需求进行管理,即进行纯粹的行政管理。这些作者对灌溉区的努力效果也进行了总结,目的在于改善灌溉的运行状况,他们总结:目前上述的每一个解决办法都是具有特权性质的解决方法,这些办法阻碍了学习和提高的过程。

灌区状况的改进和人们对它的关注起始于 20 世纪 70 年代并延续至今。这些工作可以总结为如下五个主要方面。

1.4.1 主要系统的开发

20 世纪 50~70 年代是灌排系统快速发展的几十年,大量的灌溉设施的投资用于主要的土木工程中,如大坝和主要的分布网络。大部分开发项目及其随之而来的基础设施建设由政府的代理机构运作,这些建设项目资金主要集中使用在运行管理设施损毁的修复上。政府的作用常常被赋予浓厚的政治色彩,这些政治色彩与政府对绝对垄断的环境建设一起为用户提供了小小的动力,以使政府对用水户更具有责任心。

1.4.2 关于农场的开发

20 世纪 70~80 年代,大量的投资用于基础设施的建设及其相关项目的执行,目的在于改善农业的耕作条件。这些项目对总体灌溉运行的改善作用很小,主要因为灌溉管理处的服务质量没有得到保证。

1.4.3 农民的参与

目前,随着农场开发,大量的工作是促进农民在灌溉开发各阶段中的参与和管理,如规划、设计、运行和维护。工作的重点是水用户协会组织的建立,作为手段以使农民参与灌溉的开发和管理过程。到 20 世纪 80 年代末,大部分灌溉管理处要求建立某一形式的农民组织,尽管许多农民组织只是名义上的组织。由于灌溉管理处高级或中级官员所施加的影响,开发和管理的途径几乎没有变化的可能或变化很小。由于灌溉管理处没能采取负责任的步骤,这种途径几乎没有产生明显的效果。

1.4.4　灌溉职员的培训

在 20 世纪 80 年代,大量的工作用于灌溉管理处职工的培训,以强化组织的管理能力。然而,这些项目大部分不是特别好的,因为这些项目没有被设计用来完成很好的工程而主要用在组织的项目管理。换句话说,通过培训来提高个人的能力以便执行灌溉管理处的职能,灌溉管理处本身没有从建设职能转向管理职能。

1.4.5　灌溉管理的转换

20 世纪 90 年代,工作的重点转移到解决灌溉管理的问题。通过灌溉管理位置和地位的变化,进行灌溉管理自身的形式转变。世界上各地灌溉管理的转化方式是一个复杂的课题,它有许多转化形式和转化内容。其背后的哲学意义在于用水户可能更有效地管理系统,而且如果他们也是物主的话,就可以根据其需求支付操作费用。在 20 世纪末叶,政府干预和辅助之前,许多灌溉管理系统的农民负担很小,且在某些阶段水用户提供很少的资金支持。在这些情况下,抽回国有资金是资本分流的直接方式,尽管在系统转型到农民管理之前,有些国家对系统投入了可观的资金以确保系统的可操作性(例如在印度尼西亚)。大面积的地表灌溉系统基本上是大量的政府独自投资的结果,而把 10 万多公顷的灌溉系统交给农民管理协会甚至交给有公民权的系统运行管理者是极其为难的事。大量的供水用户,譬如说在澳大利亚或美国,地表灌溉系统独立于管理组织。由于管理职能在此规模上的转变,管理者应当重视由灌溉管理处承担的主要系统和渠首工程的运行以及水用户的所有权,并且应维护好在第三级支渠和二级渠道的操作管理设施。而且,对于非常巨大的系统管理增加公众参与的机会取决于管理委员会的形式和其他伞形的水管理协会的组织或第三级的管理公司。

尽管在开发中和重点管理中有某些变化,但人们对日益增加的水管理概念或不断地对水管理的关注改进了灌溉的恶劣状况,尤其在欠发达国家情况更好一些。本书要争论的是,忽视灌溉排水组织及其财产的自然属性,那么所提供的服务与环境的特征和类型应依然没有改变。这些供应的水量用于灌溉、过多的地下水或地表水及自然环境中盐分的冲洗。而且很清楚,在灌溉发展中其共同的缺点是管理中服务的定位和灌溉系统的操作缺乏完整性。如果灌溉网络所涉及的操作更具复杂性,在这方面,大的灌溉系统比小的灌溉系统很显然更加重要。尼瓦尔(一个美国西部的灌溉管理者)于1916年将主要的精力集中在美国西部早期灌溉开发中的管理质量问题上,他认识到了灌溉系统操作与管理的重要性。在他的专著《灌溉管理》中,他陈述到:规划和建设仅仅是开端,真正的困难和令人泄气的工作是在系统建成后怎样利用它们并如何从灌溉土地中得到回报。尼瓦尔的书包含了对大规模灌溉系统面临的困难所进行的比较详细的描述和分析。基于尼瓦尔的工作,1997年斯乃林教授总结了灌溉农业可持续发展所涉及的人们普遍关心的关键问题(框图1.1)。

《灌溉管理》是基于长期的观察和教训完成的。主要的教训在于,灌溉开发的焦点应当建立在管理容量的开发上。所谓的管理容量是建立在灌溉权力部门和用水户的相互利益基础之上的。在过去,由于主要的焦点是如何建设灌溉系统及建设中农民的作用,灌溉的管理机构总是设法坚持到最后的期限才结束。灌溉机构的

框图 1.1 从早期灌溉开发所获得的教训(斯乃林,1997 年)

• 灌溉系统可持续管理的容量开发比系统的设计和建设更困难;

• 在政府开发计划中,可持续管理的容量建设比农民社区的建设更困难;

• 通过由政府建设的灌溉系统促进灌溉潜力开发是受到人力和资金资源限制的,这些资源对于可持续管理是容易得到的;

• 政府清醒地意识到投入到一项新的公共灌溉项目的投资会产生经济回报,而这些回报比成本资金低得多,认识到这一点是十分必要的。

作用尽管对于系统的管理很重要,但却很少被讨论到。

应该承认,高质量的灌溉管理的开发需要一个有能力的权力机构,当这个机构需要完成其任务或满足某种需要时,用户可以接受这个机构。在《灌溉管理》中,用水户协会建立的有效责任机制,是随着职业化的管理而建立和探索的。一方面,用水户会控制管理机构以便为自己提供保质保量的服务;另一方面,政府更加有效地控制公共资源的利用。这本专著的目的在于为读者提供定向服务的基本概念,这些服务的重点是强调灌溉机构的管理质量,以便让用水户获得高质量的用水服务。

第 2 章　灌溉排水的管理环境

　　水资源管理者面临的难题之一就是整合所有的观点,从而形成策略,而且执行这些策略的地方必须去理解这些观点。

——格里戈,1996 年

　　灌溉排水的权力部门要讨论服务及与水相关交易的储备,因为水作为经济商品对于不同的服务有着不同的特性。对于管理和用水客户的关系,水的特性差异需要不同的结合途径。灌溉水可以看做公共资源。对于水的使用和评价机制,水的管理需要一套明晰的管理规则以便对那些违法用水户进行处罚。所有涉及用水户都必须承认和同意这些规则。在水分配紧张的地区,水也可以看做私有产品,特别在大型灌溉系统中,灌排设施也被看做公共商品。灌溉管理者不同于那些排水的管理者,因为对于农民来说排水服务的提供并非是惟一的水处理方式,而是涉及到非农业、城市及工业排水等多个环节。

2.1　用水的竞争

　　灌溉排水总会涉及到农业水资源和土地的利用。这些资源是有限的且经常是缺乏的,必须结合用于不同目的的组织和个人共同分享。这不仅仅是在灌溉计划内水的利用,而且是在次要流域标准上灌溉与其他水用途之间的开发与平衡。用于不同目的的水控制和利用的政策和行为,其目的在于用水的安全性、社会性和经济利益以及生态的保护。存在于水的不同用途和特殊利用(例如灌溉)之间的水的控制行为是有利益冲突的,并产生不同种类问题的潜在危险性。这些问题表现为外在性、开放途径、公共利益和匮乏性。

当一个团体的行为影响到另一个团体的利益时,外在的问题就会存在,而第一个团体不会因产生这种效果减少结果的影响而得到好处。例如,一个企业将其工业废水排放到灌溉系统的上游出口,污染的水会影响到农业产量,而企业不会因建立污水处理厂而得到利益。

当资源的利用对公众开放,且当资源利用率超过某一值时开放途径会存在。例如,流域内的水量不足以供给所有用水户和水量需求过高时,没有适当的水分配原则,一些用水户会花费更多的的钱来满足需水要求。公共利益问题与向所有人提供的平等数量的商品需求相关联。对于水的耗费来说,没有人说我从来不需要水,而向某人提供的成本和向所有人提供的成本是一样的。这些商品很可能会供应给人们,因为没有人会自己生产水,因此水不能从外流域引入,而且水不能按照获得利益的原则出售。主要的排水系统和洪水防护工程是这种商品的典型例子,这些水商品是由政府正常提供的。

在既定的价格情况下,当水用户的需求比可获得的水量更多时,水匮乏问题就会产生。市场经济通过所允许的竞争会调剂这种匮乏,那些具有高购买力的人,会从其他人那里拍卖到水权,因此他们最容易获得水资源的管理权。水匮乏的负面影响可以通过公共机构例如河流流域管理机构或政府来处理。

2.2 水及其相关服务的特征

前面讲述的问题由于资源的物理特性而引起,这些特性会影响到用水户和潜在的资源用户的关系。两个独立的特性即排他的可行性和递减性用来将商品分类(奥斯德姆,1977年)。当潜在的用水户没有办法(除非他们符合一定的准则)获得水商品时,排他性就会发生;当某人的商品使用权不为其他人所用时,我们就说商品呈现负性。

如果将商品的两个特性安排在一个简单的方格里,如表2.1所示,排他性费用和正、负耗费会产生商品的四个逻辑类型,即私有商品、公共商品、收费商品和公共资源(奥斯德姆,1977年),公共资源也指开放途径的商品(引自1993年世界银行报告)。

表 2.1　　　　　　　　减少和排除成本的商品逻辑类型

项目	负耗费	正耗费
高成本的排除费	公共资源(例如,灌溉、水资源、鱼塘)	公共商品(例如,排水、防洪)
低成本的排除费	私有商品(例如,面包)	收费商品(例如,有线电视)

商品和服务的另一个重要特性是和其经济价值相关的。尽管水供应和排水服务一般看做经济意义上的交易,但水本身有其特殊的性质:

(1)水是有限的、可再生的资源,因此水可以被认为是一种稀缺性商品。只要有需求,它就不能被非限定性地"生产"或"出售"。灌溉用水必须和其他用水户共同分享并在维持生命和环境中具有战略性价值。所以,水不能被看做一种按照市场规则为基础进行分配的资源或按照高叫价进行购买的商品,因此自然状态水的利用必须按照一套保护策略的准则或社会性价值进行限制。

(2)水供应服务通常是以垄断状态提供的。一般来说,服务成本较低,而提供这些服务却需要投入高资金。这样会产生服务者之间的竞争,由此必须制定一套独立的规则以保护消费者的利益。

当市场存在竞争时,市场压力会产生有效的(经济的)资源分配。然而,具有经济规模(与可变成本相关的大量的固定成本)和经济范围(联合地而不是各自地产生几种产品的较低单位成本)的经济活动趋于自然垄断。在这种情况下,单个的供应者占据了市场。在市场垄断情况下,资源分配是无效的,因为比在市场竞争状况下垄断生产的更少而对商品的服务收费却更高;而且,潜在的竞争者的威胁是很少的,对于产品的革新激励机制和动态效率也降低了(引自1993年世界银行报告)。

在适当的方针政策和合法的框架内,克服不同的用水户之间潜在的矛盾冲突需要建立一套有效的规则和制度。这种框架制度的缺乏使得规划者和管理者不得不建立起责任机制和规则以解决随时可能发生的冲突。在特别的水管理区域,矛盾冲突也会发生在用水户之间,例如在灌溉区域内,这些矛盾必须在各自的领域内得到解决。

2.2.1 公共水资源管理的机构设置

参照集体法案的逻辑结构,奥尔森(1965年)认为追逐私利的个人不会行动起来为公共或团体的利益而努力,除非个人数量非常少,或有强制力或一些特殊设备使他们为公共利益而行动。一旦生产出产品,必然获得集体利益的单个人几乎没有驱动力去自愿为产品奉献个人才智。然而,哈顿(1968年)则认为公共资源的滥用悲剧是不可避免的,除非国家控制这些公共的资源以防止它们被破坏或被权力部门所左右。有些人建议,这些资源的私有化会解决这个问题。但是,国家和市场调节在让私有者长期维持自然资源系统的生产效用中具有不均等的成功机会。经验证据表明,没有有效的组织机构,公共资源会被过度开采和使用(奥斯德姆,1993年)。在参与者没有参与开发资源过程的情况下,这种结果似乎是不可避免的(奥斯德姆,1986年)。在一些利益一致的私有者之中,每个人都知道自己的行为会影响到其他人,这些私有者会研究一套能改变他们所面临的复杂管理结构的机构设置办法。这些设置办法能有效地监视和督促那些违反规则的人们,激励他们为水量的配置、再分配和工程投资进行有效的合作。

另一个避免公共资源过度开采悲剧的选择是各利益集团的相互合作,这样可以解决3个组织问题:一是舆论对组织结构的抱怨问题;二是利益集团的义务问题;三是管理公共资源的规则、规定及协议的私有者参与和遵守问题。

2.2.2　与水服务相关的分类原则

在定义服务的传递以及服务与被服务之间的关系时,商品的类型是很重要的。唐(1994年)对作为公共资源的灌溉系统的两个主要特性进行了概括:

(1)灌溉系统中可获得的流量是有限的。私有者开采的水量会扣除他人可以获得的同样水量。

(2)一旦灌溉系统建立,不让潜在的受益人享用系统服务是不可能的,除非机构改变激励机制。一个人期望获得可观的水量,并希望获得基础设施运行和维护的经费保障。

因此,灌溉系统运行与管理有时需要参与者在利益分配中的积极合作。然而,私有者企图提高自己的利益,有时甚至会牺牲别人的代价来获取自己的利益,这样对参与者和其他人会导致偶然性和有害的结果。这种行为的一个例子就是在灌溉系统上游过多地开采水量而导致灌溉系统下游用水的紧张和下游用水户的水匮乏。因此,下游的参与者拒绝参与一些工程的维护和运行管理,导致系统的失修和老化。对于参与者面临的各种情况及对导致某一行为的动机的思考有助于灌溉系统管理中所使用的规则的制定。作为公共资源的灌溉系统的做法对于由农民管理的小规模的灌溉系统也是有效的。然而,在大的灌溉系统中,水量的过度开采和减少的基本解释需要更加详细的论述。由政府所有和操作的带有主要节制工程例如大坝、灌渠的系统也能够整合为公共的设施。从另一方面来说,如果能够解决用水户的独占性,那么分配的水也能够被看做私有商品。

各种排水系统在特性上是不同的。排水系统的建立允许私人排出多余的水量,有时也用来控制地表水或地下水。一旦建立排水系统,很难阻止私人或组织擅自利用排水系统。然而,单个用户使用系统不妨碍其他人的使用。在这个前提下,排水系统可以看做公共设施。公共设施的运行操作不需要各用户的相互协调,因为没有一个相互的协议制约他们的行为。然而,系统的维护和对环境产生的影响需要集体行动才能解决。从这个观点来说,公共设施的管理其实和公共资源一样需要得到处理。

总之,由于没有负影响和低标准,排水系统和防洪系统都被看做公共设施。对两种设施进行适当的管理需要集体的行为才能做到,例如设施维护,私人参与获得最大利益的水量的调节。

2.3 灌溉及水资源一体化

在水资源耗费(通过蒸发)和污染处理上(排水系统中盐和农业化学品),灌溉排水服务的操作和其他用水户相互作用。灌溉本身可以看做公共资源,其操作也是在水资源管理的框架内进行的,灌溉耗费的水不能再作为其他用途(如二次消费);同时,很难阻止灌溉系统从河流及地下取水,除非有明确的规定和控制机制发挥作用。这套在水利范围内具有不同目的控制水量的规则和机制就叫水资源一体化管理(简称 IWRM)。

2.3.1 水资源一体化的目标

对特殊用户水量开采的管理需要对可利用的资源的数量和质量的影响以及对水资源系统整体的观点进行正确的评价。水资源一体化管理是对竞争用水的有效管理途径。水资源一体化预先假定某一部门的狭隘管理观点的变化,该变化旨在使政府的灌溉管理处努力促成多部门的参与,这涉及到所有资金的分担者。因此,水资源一体化管理使得所有水的自然属性方面成为一体,包括所有的部门利益、资金股东、资源和需求方面的时间和空间变化和相关政策框架以及组织水平等。

1997 年,海伦将水资源一体化定义为具有多学科的有生态意义的地表水、地下水的数量、质量和基于社会普遍需求的水资源管理科学,实际上这蕴涵着对以下事实的认可:

(1)人类、花卉和真菌需要的生态功能用水的可持续利用。

(2)在管理这些系统时,需要考虑所有利益,相应的规则也必须能保证水资源的可持续利用。

(3)通过计划、协作、决策制定和政策权利建立合作机制,股东的利益能最大限度地得到支持。

2.3.2 水资源一体化管理的功能及其标准

在水资源一体化管理贯彻中,一些因素需要评价,这些因素与政策和项目的开发、决策的制定及合作的过程相互关联。这些过程通过下列主要的功能来概括和实现,即:

(1)操作功能或水的使用功能。

(2)组织功能或水资源管理功能。

(3)机构功能或水政策和法律功能。

操作功能主要集中在水的使用和控制上,这些水作为特别的目的用于特殊的需要和要求。这些管理活动通过图2.1中的第一条线的管理处来实行,功能包括灌溉、排水、水供应和卫生、防洪、水力发电、工业供水、娱乐、渔业、航运和生态的保护和恢复。

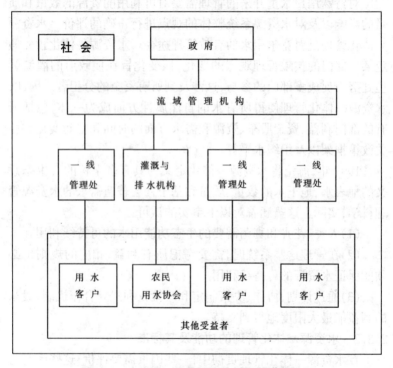

图2.1 水资源一体化管理结构中的灌溉排水

为了最大限度地减少由不同用途和用户利益冲突带来的问题,水量的使用和分配需要合作和协商。为合理使用水量,解决这些问题也经常需要建立新的规则或改变现有的规则,这称为组织功能。该功能涉及到协作、计划、决策制定和水系统(流域、地下集水层)中规则的应用。流域管理机构经常被委派执行这些功能。

必须建立适当的环境保护机制以使组织功能成为可能。水资源一体化管理的机构功能涉及到水政策的形式、人力资源的政策研究和标准化行政立法。

2.4 水资源一体化管理中的灌溉与排水

如前所述,水资源一体化管理过程旨在通过技术和法律的干预协调社会各业对水需求和水系统的开发利用。从原则上讲,系统的边界是由水资源一体化管理的目标确定的,然而水系统自然的水力边界也为此目的而采纳。

社会对水的需求和政府通过实际的水量协调来满足各类需求决定了系统的优先权,那么人们可以设法使系统满足水的需求和质量标准或每个用户的不同要求,并且可以维持或提高系统的整个环境质量。这种标准的强制性意味着,例如灌溉特别是排水流量应符合一系列的水量和水质标准,这些标准是建立在灌溉水质需求和环境标准需要的排水可承受的范围基础上的。

水资源一体化中的灌溉与排水中存在着各种利益冲突。在某一既定的水系统中,存在着许多利益冲突的社会派别。个人、集团和国家在获取、保护和提高各自的水的利用率及水量控制中都会保护其自身的利益。这些可以被划分为第一顺序的利益和第二顺序的利益(乎夫卫根和杰斯帕,1999 年)。第一顺序的利益,通过人类生存必要条件和系统中水的生命来体现,这种分类的重要性在 1992 年的都柏林大会上得到了证实(框图 2.1);第二顺序的利益,如果必要的话,可以根据经济、生态和社会的价值在评估后被优先安排。由于不同的物理、水文、文化和社会经济的条件,第一

框图2.1　水与环境:都柏林大会(1992 年)

国际水与环境发展大会:其主题是 21 世纪的发展问题,在都柏林召开,要求对淡水资源的评价、发展和管理进行评估。大会报告对地方、国家及国际标准在以下原则上采取行动:

- 水资源的有效管理要求全社会对经济发展、自然生态系统保护的协作一致;
- 水的发展与管理应当基于用水户、计划者和决策者的共同参与;
- 妇女在水供应、管理和保护水资源中发挥着核心作用;
- 在各种水的用途中,水具有经济价值,应被看做商品。

联合国水与环境发展大会强调:全球合作是非常重要的。该报告陈述到,一体化水管理是基于水作为一个生态系统、自然资源、社会及经济商品统一体的一部分。

顺序的利益和第二顺序的利益是具有系统的确定性和时间的明确性。随着发展的过程,第二顺序的利益将在水资源分配中改变。存在一个总的协议,即人类基本的水需求应当作为第一顺序的优先权,通常维持生命的支持系统或生态系统作为对水需求的第二顺序。在建立这些第一顺序优先权的过程中,公平原则起着主要的作用。

根据社会经济准则,水被看做经济商品。因此,所有其他的工业、农业或社会其他领域应当具有优先的利益权利。这里,重要的是要注意到,尽管成本回收和经济价格是最高的利益准则,但各基层的价格和关税规则通常是必须考虑的,这里公平和社会福利是至关重要的,否则环境可能会遭到破坏。

在许多水资源系统中,灌溉区域中会存在着用水户的竞争。在竞争中,灌溉农业的社会经济发展的重要性是由社会做出评判而不是由下列三个条件作出评判:①是否符合社会的需要和期望;

②是否产生利益或提高资源的利用率;③对环境的影响是否在可承受的范围之内。

2.5　主要的利益和利益集团

为获得例如满足粮食供给、纺织品的生产以及改善农民的社会和经济福利等的需求,一体化的农业灌溉系统已经初步建立起来。显然,在实现这些目标的活动中农民是利益的焦点。然而,在灌排系统中成功运作的具有至关重要的三个利益集团需要考虑到,他们中的每一个在农业系统的作用和管理优先权上持有不同的观点。这三个利益集团是农民(使用权)、权力机构或对灌溉和排水系统的规律负有责任的管理处以及大致代表国家和社会的政府机构。正常和非正常的团体与其他水用户(组织的功能)一起执行着合作的功能。对于他们努力的成果,每一个集团有不同的目的和期望。

2.5.1　农民

用水户的目的大体上是微观经济的自然属性。农民首要关心的是尽量多地生产粮食或最大限度地增加家庭收入,且从长远观点来看,农民的利益逐渐由为生存而生产转向到为获取最大利益而生产。农民的产量是受一些物理或环境的因素制约,例如土壤的特性、气候、水供应、农业害虫和作物病害及其他的非物理因素,劳动力的可用性、资金、土地的租赁、财政的支持、市场、文化和传统等。

在灌溉排水权力机构的运作中,农民最关心的是利益问题。如果其他条件适宜的话,农业的生产率是由灌溉水的供应多少、排水的简易性和地下水水位的维持程度决定的。

为获得最大的产量,农民需要在供水的频次、供水率和供水持续时间上有灵活性。从农民的观点来看,理想的供水模式应该是按照意愿供水或按照农民自身的要求供水。按照这个方式，农民能使灌溉计划与土壤和作物的需求及雨量相匹配。而且，农民可以协调灌溉与其他农事的关系。大部分农民对灌溉有效性的担心是灌水的可靠性和水供应的预报。农民对排水的主要担心是如何预防洪水产生的巨大流量、过高的地下水位和涝灾以及不断的土地盐碱化（舒而兹，1990 年）。

2.5.2 灌溉和排水的管理机构

灌溉和排水的管理机构有不同的组织形式，无论何种类型，管理机构都有一些自身必须完成的目标。水管理机构的主要任务之一是供应足额的水量并提供给各类用水户优质的服务。为了做到这一点，管理机构必须在系统基础设施有限、水开发政策及用水管理和农业环境改变的情况下，获得最优的农业生产率，达到原计划标准。

为获得计划标准的最优生产率，需要制定用水的管理规定以便依此分配水量，特别是在水量短缺的时候，此规定更显得重要。同样，排水的规定也同等重要，特别是在临时排水任务繁重的洪水时期。用在一些例子中的规则应当在系统的规划阶段建立起来后，这些规则才可以随着农业生产条件的改变而改变，例如作物类型的变化。在某些情况下，管理机构的目标实际上是和私人用户的利益相矛盾的。

水管理机构也经常面临政府政策的限制，这些政府政策是确保对农民提供最低的水量或者是环境保护所需要的水的最低需求量。考虑到农业灌溉环境产生的各种限制，与用水户水紧密联系的管理机构必须制定明确的规则以利于水的供应和排放，这些规则能体现出一套具体的服务标准和服务水平。

2.5.3 政府机构

政府有国家发展的经济、社会和环境目标，这些目标是灌溉排水系统所遵从的。这些目标也包含在其他的发展形式中,例如粮食生产、就业、外贸和消除贫穷等。其中,有些目标直接涉及到政府与灌溉排水机构之间的相互作用关系;有些目标涉及到政府、农民和其他股东;有些目标涉及到一些问题的解决,包括灌溉工程、市场、农产品价格、信贷、财政、农业繁荣时期的成本回收和权力部门的运作等。

有种认识,即流域是水资源管理的逻辑单元。尽管这种说法无疑是正确的,但必须清楚地知道这些管理的组织框架必须在总的目标和政府方针的范围内起作用。流域管理大致上是一种管理的运作,它涉及到水量分配、水质管理、股东的利益。尽管流域的合作体系有责任制定政策、设立目标,为流域管理出谋划策,但政府有最终的执法权。政府在灌溉排水中起着几个作用:一是政府利用灌溉与排水的开发和管理作为发展经济和社会的手段;二是政府必须确保灌溉排水的负作用对社会的利益没有损害;三是政府必须建立一种机制允许在总的水资源系统中进行灌溉、排水和其他有效运作。因此,政府必须创建政策环境和灌排机构,既能执行供水服务职能同时也可为用水户完成各种义务。

2.6 灌溉排水组织类型

灌溉排水组织服务的提供必须有一套组织可操作的功能。管理这些服务的组织需要清楚地表达组织管理的目标、任务和执行策略。为了提供这些服务,组织机构代表其物主或股东完成资产的管理和运作。灌溉管理组织也利用资源为用水服务征集资金,在大多数情况下是作为用水的宣传机构,尽管它也是水量供应者。显然,这样的管理机构有商业机构的特征,因为水供应和排水服务存在着交费和服务的资金关系。

这套复杂和相互关联的功能必须适时地保证所提供的服务反映客户的需求和愿望,且必须以最有效的方式提供优质服务。

世界上有许多组织机构会议,这些会议专门针对灌溉与排水。许多组织现在仍然从国家财政上获取支持,这些情况在某一程度上保护了组织免受正常商业压力的影响。

2.7 定向服务管理:基本原理及关键因素

灌溉系统将获取的水量输送和供应给用水户。排水系统控制着地下水位并排出多余的水量、盐分和其他污染物质,以使农田和其他非农业区域免遭侵害。为执行这些功能,由分水、输送设备构成的水利基础设施、水测量设施及负责管理的机构是必要的。为执行这些功能,灌溉机构必须遵从几个可靠性原则,包括执行功能的可靠性、政府的作用和社会责任以及农民(用水客户)的受益原则等。

为满足这些多元化利益,灌溉排水机构在建立之初应本着灌排商业管理的目的以获得环境和财政的可持续发展。灌排管理机构也必须遵守水量分配和排放决定,这些决定是由作为总的水管理政策执行者一部分的流域协会做出的。在本章之初作为公共资源和公共商品的灌排系统的自然属性已经论述过。因为灌溉排水服务会在垄断的情况下发生,因此很显然灌溉排水的组织和政府及其他有影响的党派需要舆论的监督。这些舆论形成基于以下几方面:①大家公认的服务标准,用户获取这些服务的期望;②他们付费的意愿;③适当的合法框架的存在(这些框架会确保参与者权利和义务的执行)。

总体上来说,灌溉排水系统的成功特别是权力机构的运作过程可以通过以下几方面来衡量,即根据其内部管理过程的有效性、对整个政府的社会和经济目标的贡献的有效性以及在满足农民的期望值方面的可行性等。

灌排组织机构满足客户需求的能力反映了其服务价值的标准(框图2.2)。输出定位是服务的重要特征,因为所提供服务的实际成本是和服务的内容息息相关的。这确保了用户对所提供服务的成本有全面的认识和了解,他们会依据所提供的服务内容和服务标准做出缴纳税费的决定,并依据实际服务乐意付费。这种相互作用的过程对于确保利益集团完成必要的责任和义务是非常重要的。而且,这使得在以下两方面之间的协定更容易实施:一是主要的灌排系统的改善与可选择性投资之间的协定;二是系统供水的灵活性提高与系统的修复改善之间的协定。

框图2.2 灌溉排水服务可持续发展的关键因素

• 定向输出:服务条款的成本是以良好发展的运作机制和财产管理项目为基础的;

• 服务的标准和与服务相关的服务费用是由所涉及的用户决定的;

• 灌溉排水组织应能从直接的消费者和补贴受惠者中回收服务成本;

• 保护用户、服务组织及社会总利益主要依靠适当的合法政府服务体系。

执行这些服务标准的能力对于确保供水时效性和利益集团之间规则制度的贯彻是非常重要的。这种能力实现可以采取各种形式,包括求供双方具有合法履行义务的服务合同等。这些协定与合同给出了详细的服务描述,服务资金的回笼、监管和服务条款的修订以及合同违约时利益集团的矛盾仲裁。

总之,有影响的灌溉排水组织,特别在水资源管理一体化内,需要一个负责任的管理系统(图2.2),该系统既要对农民负责也要对社会公众负责。灌溉排水管理组织会发现自身一方面是服务

按照UAG连接的分类：

U 代表水用户(农民)
A 代表灌溉排水组织或防洪部门
G 代表政府

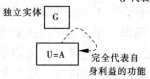

独立实体

U 以个人、合作或公司为基础的运作，为自身利益
或成本回收而进行的灌排管理和防洪功能
G 提供合法的运行框架

完全代表自身利益的功能

私有化服务

存在于A与U之间的合同：

A 提供服务并收取U的费用
U 代表谁应按照合同缴费
G 提供合法的框架

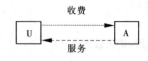

收费

服务

公共或半公共实体

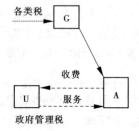

各类税

存在于A与U之间的合同，但是：
A 必须按照G设定的条件提供服务
G 控制并尽可能为U提供补贴
U 要求有更多的补贴

收费

服务

政府管理税

A和U之间没有合同关系，并且：

A 提供来自预算开支的服务，该预算是由G提出的
G 提供来自U的非优先的或税收资金
U 在付费上基本上不获取利益

收费 服务政策及补贴

服务

图 2.2 灌溉排水组织分类(1997 年塔德制作)

的提供者,为农民或农业组织服务;同时另一方面也是流域水资源管理机构的一个政策执行者。因为有效贯彻这些服务条款的灌排组织必须在明确的规则内执行这些义务,即完成流域机构赋予的水资源开发及冗余水量的排放等任务。

2.8 灌区水管理

2.8.1 水管理

人类可以通过几种方式控制和使用水资源,例如保护、控制水力结构、灌溉、排水、供水等。同样,人们也可以通过几种途径污染水资源,例如土壤或工农业废水、生活污水、冷却水等。水管理系统的重要性体现在目前管理的实践和风险方面。非确定性在设计中是整体性的因素。应当承认,在某些时期管理中会存在失败。

在水管理中涉及到许多人和组织,图2.3系统展示了农村水管理领域多个作用因子之间的关系。

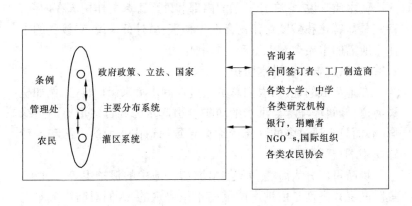

图2.3 农村水管理的作用因子

2.8.2 影响水管理系统设计的因素

影响水管理组合与大小的因素有气象、外部水管理、土地使用、土壤、荒地开垦、地理和水质等。基于这些因素,我们可以设计所提供的服务标准、适当的效果和水管理系统。

灌区内的土地利用和分配类型可以影响部分或整个水管理系统。同时,存在着几种土地分割系统,它们大体上形成了水管理系统的整体布局。水稻或干旱作物种植的选择对土地分割和水管理系统的大小和布局都有直接影响,这同样对于农田的大小和农田的观测存在着重要影响。他们在很大程度上决定着土地的改良和用户环境、居住者和一个项目的成功与否。水系统管理所期望的服务标准必须适应这种选择方式。

在新的灌区开发中,把一块自然状态的土地开发成肥沃的土地需要几个步骤,它们甚至会影响到一个灌区的最终布局。开发过程及方式的差异对水管理系统的布局和大小以及未来开发措施的灵活性都会产生影响。

就水质来说,它在开发区的内部和外部都起着作用。在内部,特别是盐碱化和酸度对作物会产生损害;就外部来说,在接受的水体中所需的水质会对流量产生限制作用。

2.8.3 洪水管理与洪水防护

在地势低的地区,人们总是通过控制水流来保护自己,例如疏浚河道、修筑堤坝等。洪水的防护会引起水力和自然形态的边缘影响,而且土地过多的水流消除会导致河道内水面的上涨和泥沙输送中的沉淀问题。

堤防可以分为海堤、河堤、渠堤和田地中的保护堤等。过去,堤防的堤顶高度是由洪水的最高水位决定的,人们对防洪成本与财产损失的关系知道得很少。在现代设计中,人们开始利用各种综合性知识设计堤防、研究各种加固方式并将概率统计知识应用于设计中。按照发生的概率,高水位的发生可以进行适当的描述。但是,基于相对短期观察的水位曲线必须外推到观察区域更远的地区,因此堤防设计中各种风险因素不能排除在设计之外。与洪水管理和洪水保护有关的三个发展因素应当受到关注,即河流管理措施、海岸管理措施和三角洲地区的管理措施。

(1)三角洲地区和沿海地区的人口增加和工业化发展。

(2)工业和城市区域内财产价值的迅速增加。

(3)由于农业产品的高质量所要求的较高的保护标准。

(4)气候变化的影响。

在过去的几年中,人们一直在争论气候变化对某些方面的影响,即:

(1)平均海平面的升高。

(2)河流体系的变化与河流洪峰流量的增加。

(3)干旱的增加。

(4)平均年降水量和最大降水量的增加。

尽管如此,必须认识到水管理和防洪计划可能的变化,这些变化是由于上述气候因素的变化造成的。这些变化在未来的一百年中,有10%～20%的发生概率。从地方角度看,人们预测会有更多的后果发生,例如重力排水必须由水泵抽排来替代。

但是,如果我们看一下人口的增加以及公私财产,例如防洪薄弱区内作物、房子、其他建筑、基础设施和公共设备的增加,会感到这种增加比气候变化可能造成的影响的意义更大。因此,这些增加必须在很大程度上控制着对水管理和防洪措施的决策以及气候变化引发的各种问题。迄今为止,这还没有成为研究的例子。财产价值增加对防洪设计标准的影响在图2.4中进行了说明。在这个理论解释图中,防洪措施成本是1950年所假定的不同的安全设计频率。此外,与设计频率有关的估计损失也已给出,这些损失是

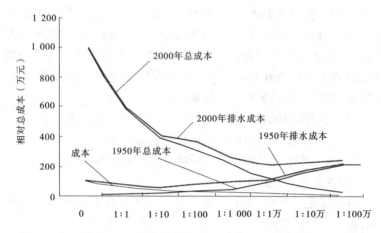

图 2.4　设计频率、防洪工程成本、相关损失和相对总成本之间的关系示例

在 1950 年基础价值之上,基于所保护的建筑物、基础设施的价值而估计出的。当总体成本和损失最小时,就可以获得最佳和最节省的设计效果。在这个理论图上,这种 1950 年的情况分布在 1～1/50 的范围之内。此外,当同样的洪水设计频率维持在同一标准并且保护区域的价值在 50 年内增加了 10 倍时,该图还显示了 2000 年的损失情况。在许多防洪薄弱地区,这种情况呈现增加趋势,实际上这很容易发生。因此,图中的总线最终给出的是 2000 年的情况,这种情况是基于以前的假定条件。从这条线走势看,我们可以注意到,防洪工程的设计频率增加至少在 1 000 年一遇。这意味着要对防洪工程进行巨大的投资,这种投资也只是维持最节省的标准。一旦在此设计标准上的设计成本确定,最终的结论也会得出。无论如何,从中我们会很容易地得出结论:易受洪水侵袭的地区其价值增加大体上比气候变化产生的影响更重要。在这个理论性例子中,人口数量的增加并没有考虑进去。

2.8.4 亚洲城市人口的迅速发展

在东南亚地区我们可以观察到,城市人口在迅速增加,在过去的几十年,如曼谷、汉城、胡志明市、雅加达、马尼拉、日本大坂、上海、台北和武汉等城市或多或少地显示了人口的急剧增加。这些城市的人口已经从 100 万增加到 200 万,有些已经超过 1 000 万。城市财产价值的增加大体来说其增加速度要比人口增加的更快一些。

图 2.4 中仅仅给出了 1950 年的成本线,这个成本可以应用于安全标准没有提高的情况。从理论上讲,所采用的设计频率必须与总成本的最低标准一致。为了应对这些新城区的急剧增长,人们一直在开发新的土地来替代现有城区附近的低地部分。从水管理和防洪的角度看,这意味着存储区域的消除和城市排水量的增加。以上的开发已经导致了迅速增长的城市区域的以下特征:

(1)防洪保护标准远远低于经济最大标准(实际标准在 20 年到 100 年一遇)。

(2)当一个事件发生时存在着大量人员伤亡的严重损失。

(3)物质成本经常无法给予满足。

因此,在那些还未城市化的区域,目前的问题只有靠防洪措施或洪水的一体化管理得到解决,现在正急切需要这种规划的研究和实施。

2.8.5 灌溉

许多世纪以来,灌溉使社会生产了足够的粮食。表 2.2 给出了具有大规模灌区的国家的一些重要数据。从传统意义上讲,地表水可以转化并有较好的用途,且地下水也可以从手工挖掘的井中获得。灌溉系统是由进水口结构、主要的灌溉渠系和田间灌溉系统构成(见图 2.5)。由于灌溉,盐分会积聚在作物的根部,这样会影响到农业产量。如果地下水在浅层区含盐量高,毛细上升水仍然会将盐分输送到根部。为了控制盐碱化,超过灌溉定额的额外灌溉水必须供给作物以稀释盐水。沥出的盐分随排水系统排除掉,而这样会造成下游用户用水问题。

表 2.2　　具有大灌区国家的一些重要数据(国际灌排委员会,2002 年)

国家	人口 (百万)	农业人口的百分比 (%)	总面积 ($\times 10^6 hm^2$)	可耕地面积 ($\times 10^6 hm^2$)	灌溉面积 ($\times 10^6 hm^2$)
印度	998	55	329	170	59
中国	1 267	68	960	135	53
美国	276	2	936	179	21
巴基斯坦	152	51	80	22	18
伊朗	67	28	163	18	8
墨西哥	97	24	196	27	7
印度尼西亚	209	45	190	31	5
泰国	61	50	51	20	5
俄罗斯	147	11	1 708	128	5
乌兹别克斯坦	24	28	45	5	4
合计	3 298		4 658	735	185
全球总计	5 978		13 387	1 512	271

世界人口的急剧增长也导致了一些典型的问题,这些问题值得我们高度注意,并应设法解决它们。

(1)在干旱和半干旱地区:①涝灾与盐碱化;②地下水开采,主要由于大面积的深井开采;③下游用水户的新开发项目的负面影响,例如从水质量的观点看有水的短缺问题、盐碱化问题、土壤酸化问题、漏肥问题和杀虫剂问题等;④复杂的水权情况;⑤集水区

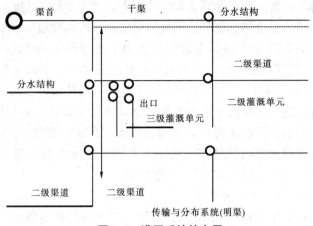

传输与分布系统(明渠)

图2.5　灌区系统的布局

(小流域)的边界纷争问题。

(2)在温湿或湿热地带:①由于化肥或杀虫剂使用导致土壤的盐碱化,从而要排除被污染的水流;②下游河流中水的短缺;③集水区的边界问题。

进水口结构将水从河道内分流出来,并将其引入主要的灌溉系统。进水口结构的水力特性和泥沙控制功能对于获得最佳的进水效益,尽量保护灌溉渠道不发生泥沙淤积是至关重要的。主要的灌溉系统将水从进水结构传输到农田渠系中,有些主要的灌溉渠道开发的不够完美。实际上,需要强调的是任何灌排设施的建设并不会产生利润,只有当灌溉结构进行适当的操作和维护,使农民获得作物产量时设施才会产生效益。

农田灌溉系统将水从主要的灌溉系统输送到田中。近些年来,灌溉系统中也进行了一些革新,所有种类的微灌系统已经开发出来(国际灌排委员会,1993年)。在这方面,温室的气候控制值得特别注意,实际上它是最先进的农田灌溉系统。但是,这个系统由于排放污染水会引起巨大的负面效果。当今,人们通过利用淡水和化肥的混合与监测来达到所需要的排水质量和循环效果。

一般来说,农田灌溉系统的安装、维护和操作完全是农民的责任。这将意味着,政府会出巨资设计和修建主要的灌溉系统。然而,利润似乎不大,因为农民甚至不知道该获得什么效益和怎样获得效益。当一个农民不进行安装或适当维护灌溉系统装置时,他或他的邻居就不会获得巨量的灌溉用水。在这种情况下,必须进行灌溉实践的可行性研究。由于对农田系统没有引起足够的重视,灌溉系统的运行也受到了严重影响。

2.8.5.1 灌溉系统的设计

在本节中,对灌溉系统的设计问题不进行细致的阐述。关于系统设计的问题,有许多灌排水力的参考书、教材或手册。本书讲述的重点是灌溉系统的关键问题和主要措施。

在灌溉系统设计中,涉及到三个元素,它们相互作用、相互制约。如果主要的灌溉系统不能将水从进水口输送到田间,那么设计完美而具有高容量的农田灌溉系统就没有意义。在灌溉系统设计中有几种方法可以用来获得最佳灌溉效果,其中有两种类型的设计比较突出。首先,通过阻止大水漫灌、控制盐碱化和利用最佳的灌溉方式可以获得实际水应用的最佳设计效果。其次,最大限度地利用集水区内灌溉水,部分地通过优化各类灌溉水的计划分配,或部分地通过优化各类水用户的协议使水量的分配更加合理,例如饮用水、灌溉水、发电用水和航运用水等。对于利用地下水进行灌溉,地下水资源的开采和优化是合适的。对于这些优化的可能性,那么计算机模型和信息系统可以加以利用。但是,对于计算机输入来说,可靠的数据总是不可获取;另一个问题是缺乏法律框架和支持控制机制来获得最佳的使用效果。由于这些问题的存在,系统的总体运行状况经常比水资源的使用框架期望的水利用情况差得多。

2.8.5.2 进水口

人们一直对进水口结构的设计与建设给予高度重视。而且，在世界范围内，设计的经验和教训相当多。除了水力要素外，进水口必须以将进入系统泥沙减少到最低程度为设计思想来设计。

2.8.5.3 主要灌溉系统的设计

当然，在设计主要灌溉系统时，所有的工具都可以使用，如各类公式和现在稳定或非稳定的计算机程序，计算机辅助设计（CAD）和 CAM 信息系统等。所有这些工具都可以取得良好的设计和建筑效果。但是，设计良好这个词应当仔细解释和理解，它不仅指系统技术设计完美，而且特别指服务标准实现的可靠性。在灌溉渠道设计中，流速的确定是一个重要的步骤。在平整的地面布置渠道时流速的设计是关键的。首先，最大的允许流速和非冲蚀性流速的概念需要注意。在泥沙和黏土淤积的地方，流速在 0.8～1.5m/s 之间，这个流速取决于水的泥沙含量、渠道的深度和其他影响因素。但是，在地势平整区域这种流速达不到，更重要的设计因素是可允许的最小流速。当水流清澈时，各种植被的生长会堵塞渠道，这样增加了渠道内的水流阻力。为了防止这种水流现象，流速不应小于 0.75m/s，渠道深度不应小于 0.5m。在非常深的渠道内（渠深 3m 或大于 3m），也可以允许小流速。

为了防止渠道淤积，当水挟带泥沙时，设计流速必须比规定的最小值要大些。这种流速取决于许多理论因素和公式的选择，不考虑渠道的特殊情况和最小的泥沙含量，流速一般在 0.6～1.2m/s之间。为了达到这个流速，水力坡降必须在 0.1～0.6m/km。

如果在渠线上土地呈逐渐递减的坡度，对于渠系设计来说几乎是理想的设计条件；但是，在平地中不存在坡度。

农田灌溉系统有各种各样的形式，例如盆地、农沟、喷灌、滴灌等。对于不同的系统来说,不同的设计原则和设计模型会得到应用。在有土壤盐碱化情况的地方,淡水灌溉以超过植物耗费的速度供水。假定水全部排除,会使土壤保持在一定的盐碱化限度内。如果渗漏不断进行,多余的水分通常为耗费水量的 10%～30%。如果间歇性渗漏,水量会得到更高流速的供应。在埃及尼罗河流域及其河口三角洲地区,作物的生长和四季灌溉由于修建了阿斯旺大坝而变成了现实。但是,四季连续的灌溉会引起涝灾和土壤次生盐碱化。由于这个原因,当今大面积的灌溉土地用地下排水系统排水,这些系统用来设计排出渗漏水量。在有些地区甚至利用水泵抽取排水,泵站的设计容量一般是5mm/d。

2.8.5.4 灌溉系统的建设

灌溉系统的建设是指渠道的设计与修建,系统的取水口设计、水泵或泵站建设、建设设备安装、结构控制设备以及各类设备的运行操作等。渠道可以是直线型也可以是非直线型。除渠道外,也可以是管道或其他灌溉设备。所有的建筑材料和设备在很大范围内进行选择,如选择范围从人工到全自动化控制,建筑材料与水的应用等。当然,发展不会停止,新的设备和材料变得更实用。这些材料既便宜又实用,且易于安装和施工。但是,基本的问题是新材料的加工慢,选择材料是适合当地条件的;特别是控制设备的应用必须非常仔细地为用户准备,因为这种设备的操作直接影响到他们的利益,在未来的水供应中,任何的不平衡很容易引起结构和设备的损坏。

2.8.5.5 灌溉系统的操作与维护

在传统的灌溉系统中,水权的研究已经持续了很长时间。这带来了一些地区的一种平衡,并给每一用户或大或小水权的清晰描述和他们期望获得的水量。现代地表灌溉系统的操作是一项复杂的事情,因为这些系统一般有一定规模和布局,在这些布局中水权不再得到合理的应用,这经常导致用户的关系紧张和破坏堤坝等行为。在这方面,利用地下水灌溉会引起较小的管理问题,因为系统和利益之间的关系对于农民来说相当清楚。但是,在这种情况下,地下水的开采很容易进行。对于维护来说重要的是维护频率和维护活动。维护频率可以分为日常维护(每年一次或几次)、定期维护、紧急维修和功能恢复;维护活动主要集中在外形、大小、渠道水流阻力清除、结构功能恢复及水泵和泵站的维修等。日常维护和定期维护的频率随着国家的不同而不同,并在各地区间也不同。影响维护的重要因素有气候、土壤类型、植被的生长速度、系统的功能和大小、灌区的面积、预算和灌溉权力部门的政策等。

这里要提及系统的现代化,涉及到系统新目标的制定。这些目标是根据实际的发展和需要设立的,其目的在于改善物理条件、操作与维护管理活动以及机构运作等。当在设计中考虑不到社会经济方面的因素时,就会产生操作、维护和管理问题。由于用户没有充分利用我们所见到的设计和建设系统的各类有利条件,责备他们似乎理所当然;但是,在这种情况下工程师似乎也应受到批评,因为他们没有充分地考虑到用户需求。

在有坡度或平整的地区,必须进行梯级灌溉。下面将阐述与这些地形有关的情况。

2.8.5.6 斜坡地区的灌溉

有斜坡地区的典型特征是:

(1)一般利用重力灌溉。

(2)需要在等高线基础上进行仔细的布局。

(3)存在侵蚀的危险。

2.8.5.7 平地中的灌溉

平地中的灌溉特征是:

(1)考虑到土地高程的抬升,来自外部的灌溉供水能够以较低的水位到达边界,这样水不能吸入到土壤中,这种现象很普遍,因为在干旱季节,地区灌溉水来自低水位河流或湖泊或来自临近地区。

(2)在地势低洼或平坦地区,土地坡度很小或根本没有。

(3)在沿海地区或干旱地带会存在海水或地表水的盐碱化。

(4)灌溉与排水之间的内在关系。

在平坦地区,灌溉有许多与斜坡地区的共同特征,例如灌溉系统(地表灌溉、抽取地下水灌溉或提灌)的选择、轮灌、按需求灌溉、灌溉需求的评价、渠系的设计等。在灌溉渠道中,所需要的流速可以通过调整流量达到。如果灌溉水不能在高水位达到边界,就必须安装水泵或泵站提水以达到梯级灌水需求,除非对作物的供水建立在次级灌区基础上(图2.6)。通过水泵结合边界上高水位的渠道系统可以达到这个效果,也可以通过小水泵在支渠达到此效果,这两个系统是最合适的。它们都取决于社会经济因素(财产的大小以及所有权)、作物因素(水稻、干旱作物、蔬菜和水果)以及物理因素(系统的大小、水质和地形)。

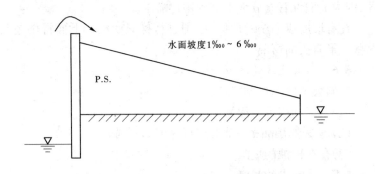

水面坡度1‰ ~ 6‰

P.S.

图2.6 利用泵站提水灌溉示意图

但是,当需要将水输送到 10km 远时,要修建更高渠道,这涉及到大量的土方工程和防止涝灾和渗漏的有效措施。当给部分渠道送水需要梯度时,通过图 2.7 所示的方式可以解决这个问题。必须安装调压器泵站以便产生必要的水头。干渠的水位可以部分低于土地高程,但是临近的土地需要通过重力灌溉,因为支渠是从高水位供水的。

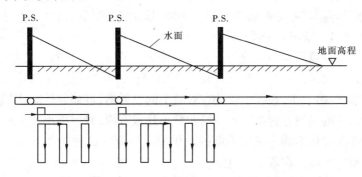

图 2.7 利用调压器水泵进行灌溉供水

另一个解决办法是只有一个调压器泵站供应水量给支渠,在这里干渠的水位较低。有些特殊情况,即水量通过高水位的渠道传输来自附近山区水库的水,或通过高水位的支渠传输来自附近河道内渠首的水。安装高水位的灌溉系统以避免水泵提水具有很大的发展潜力,那么这种系统就成为一个具有农田内灌排各自独立的系统。

2.8.6 喷灌

第二次世界大战后的 40 年,喷灌技术发展迅速。世界上喷灌技术广泛地被采用的主要原因有:

(1)喷灌水量很容易控制。

(2)喷灌的强度能够适应各类土壤、作物和气候需求。

(3)喷灌系统功能全,能够为规划者和用户提供很大的灵活性。

(4)喷灌系统可用于霜期保护、市政、工业和农业的废水处理。

(5)可以通过喷灌系统施肥。

(6)喷灌中,水的分布均匀有效。

人们已经开发了各种类型的喷灌系统以适应各类经济条件和劳动条件。喷灌系统开发中要考虑到水源和土地的地形、特殊水的应用需求、各类水质和气候条件特别是风向和气温。

2.8.6.1 喷灌的分类

许多喷灌类型的分类方法是根据它们的特点进行的。喷灌可以分为两组:第一组,包括系统基本的侧孔,例如穿孔和振荡的管道系统;第二组,包括了安装在管道上的发射器,例如旋转的、固定的和喷枪式的发射器。第一组非常小且很有限,只用于小块土地,需要非常细小的水流和不断的水供应。尽管在这种条件下,两种类型的喷灌存在着强烈竞争。

2.8.6.2 喷灌用水的类型

在灌溉中,水分布类型(WDP)是最重要的因素之一,因为这些因素决定着水利用的效率和作物的反应。一个特殊喷灌系统的水分布类型是由各类因素(压力、管道和角度等)共同作用形成的,这些因素也包括气候和风等。对于旋转式喷灌系统,主要取决于喷灌的转速。旋转式喷灌系统的旋转是由水的喷射装置和喷灌的悬臂移动而引起的。当喷灌系统开始工作时,悬臂干扰着水流并将水流分向两边。当喷射完毕后,由于水流张力和射流的干扰,悬臂回复。然而,在回复过程中,悬臂击打喷头的侧翼,引起它轻轻地旋转。这个动作以稳定的方式重复,使喷头慢慢地旋转起来。

2.8.6.3 喷灌设计的步骤

喷灌系统的设计是由一些重复性的步骤构成,具有一定的灵活性,以便各个步骤能够改变以适应变化的条件并满足个人喜好。

简单地说,设计步骤就是选择所有变量的决策过程。设计中要考虑到系统所有的要素,并对设计系统的功能和效率做出估计。下面阐述喷灌的设计步骤。

1)水量需求和灌溉间隔的确定(需求分几个阶段)

(1)季节性水量。季节性水量是一个净值,通过考虑作物、产量和季节来确定。为达到这个数量,设计者必须增加水量以补偿水量因损失和非均匀分布造成的浪费。水量的损失主要取决于灌溉系统、设备和气候条件的供应网络,也取决于运行条件。因此,季节性水量在设计过程中是可变的,需要进行另一项重复的设计过程。

(2)水量的分布。水量的分布是将总的地区数据与具体的作物和生长阶段联系在一起,是作物蒸发的基础。总体上说,数据是从服务内容和其他可靠资源获得的。这个步骤也变成了人们非正式的个人经验和直觉。

(3)关键日期。每一种灌溉作物都有关键日期,如果在这个时期缺乏灌溉,就会引起作物的损失或减产。当然,这些日期在灌溉时间表中当执行灌溉时应作为整体对待。

(4)灌溉中的最大间隔与最小间隔。这些用来评价系统的流量是运行时间的设计基础。

2)土地分配

要灌溉的面积可以利用特殊的作物种植分为几块。在这一步中,涉及到了许多数量和质量因素。近年来,人们开发了农田专家系统和模型来执行这些操作。在这些要考虑的因素中,土地的面积大小和形状直接影响着灌溉工程、自动化等的设计。

3)喷灌方式的选择

对于几块土地或一块单一的土地,需要选择喷灌方法。同时,选择的主要依据是动力系统、控制标准和自动化设备。有时,几种方法都是可行的,因此最终设计方案通过比较而确定。

4)系统的布置

管道网络的布置确定包括主要管道的位置和次要管道的位置。因此,它取决于以前所选择的方法和其他因素,例如垄作作物的方向、土地面积、水源水力位置、障碍物、外部限制条件和管理。所涉及系统布置的主要因素是作物种植的排列,而通常作物种植是纵向与横向垂直排列。有几个因素是不可以量化的,因此人们开发了灌溉专家系统以帮助决策者解决这个问题。

5)喷灌器材选择

喷灌器材选择是一个附加步骤,选择涉及到许多要考虑的因素。选择喷灌设备要考虑的主要因素之一是喷灌速度,这个速度必须低于土壤的吸收速度或渗透速度,否则灌溉的土壤积存的水太多容易形成储存、形成径流。水的渗透可以定义为一个过程,这个过程就是水通过土壤表面渗入到表层土壤中。一般用 mm/h 作为灌溉单位,mm/d 作为排水单位。人们采用了几种公式计算渗透量,所有的计算公式都与渗透速度以及土壤的传导率有关。它们包括经验常数,这些都必须弄清楚以便评价具体土壤的渗透速度,实际上,人们通过各种途径例如双层渗透器等来测量渗透量。

2.8.6.4 喷灌方法的好处与限制

喷灌方法的好处与限制条件如下:

(1)如果设计得当,喷灌能够发挥重要的灌溉作用,大大提高灌溉效率,而不需要任何的土地平整,无论是平地还是斜坡、丘陵还是沟壑都可以进行喷灌,而且适合于各类的土壤和作物。

(2)喷灌提供了灵活的设计空间,因为各类喷灌设备都可以利用,在劳动力资源丰富或短缺情况下,喷灌系统都可以进行灵活的操作。

(3)喷灌一般比地面灌溉的效率高。但是,应当注意如果规划操作得当,利用农沟灌溉的效果甚至比喷灌的效果还要好。

(4)喷灌比滴灌利用单位水量获得的产量要低,但是这并不排除喷灌的使用,因为喷灌方便,所节约的成本可以抵消产量的降低部分。地方产量数据和灌溉作物的水使用量缺乏,对决定采用哪种灌溉方法最节约造成了一定困难。两种方法的利弊权衡对设计是有帮助的。

(5)通过调节喷灌时间,喷灌可以利用小水量也可以利用大水量进行操作。这种方法同样适合于滴灌情况。

(6)在相同的设计条件下,每单位面积的流速通常比滴灌大,比农沟要小些。但是,喷灌所需要的动力和能量比较大。

(7)对于部分灌溉器材,喷灌不需要任何特殊的技能。

(8)喷灌对补充灌溉适应性强,它也能够成功地应用在新作物的初期生长灌溉、霜期防护和炎热天气的降温等。

(9)喷灌不需要渠道、沟、生产堤和各类水力控制结构。同样,滴灌也不需要这些控制性工程。

(10)在喷灌中,使用轻便的管道降低了设备成本。侧面的管道也可以从农田中拆除,这样避免了对农田耕作的影响。

(11)利用喷灌进行施肥简单有效,滴灌也能够达到这个效果。

(12)喷灌一般缺乏对堵塞处理的灵活性。但是,喷灌需要灌溉水的渗透,特别是利用低速喷头喷灌时,渗透作用更明显。

(13)如果排水适当,可以利用喷灌将额外的盐分喷洒到土壤中。

(14)在风力条件下,喷灌会导致水的喷洒不均匀,除非选择适当的空间条件。缺乏土地试验数据有时会导致空间预留太多。

2.8.7 滴灌

滴灌的开发一般用于特殊的用途,它是由大范围的管道系统构成的,管径较小,能够将渗透水量直接传送到作物附近。滴灌系统建设费用昂贵,也存在着不容易解决的水流问题,但滴灌的利益很显著。由于滴灌系统的引进,农田的改良和大范围内作物的质量已经得到改善。滴灌系统数量的增加取决于一些条件,例如土壤条件、作物条件、气候条件和耕作条件等。一般来说,滴灌的灌溉效果比其他灌溉方法显著,因为滴灌保持了作物根部土壤恒定的含水量,具有较大含水量的果树(橘子、葡萄等)对滴灌的适应性也较好。对于密集型植物,例如谷物和苜蓿等,滴灌不可行也不经济。滴灌系统基本组成部分是:

(1)在适当的水压下供水。这种供应主要通过水泵和重力作用。水泵通常用离心泵,但对于小系统活塞泵也很适用。如果水源含有有机物质或固体物质,那么滴灌系统必须安装过滤器。

(2)控制水头可以与供水系统相连接,并调节水压和水量。水渗入土壤增加了土壤的营养物质。一个好的过滤器对于所有控制水头的安装是非常重要的。具有回冲效果的沙子或卵石过滤器是最好的,但是对于清洗用水,网眼过滤器就足够了。当水中含沙量很大时,应当安装特殊的过滤器,例如涡流式过滤器。过滤器是滴灌系统最重要的组成部分,因为它保护着过滤嘴不被堵塞。

(3)承载压力的管道和带有出口和进口的水箱一般用来增加溶液营养物质,特别是含氮物质。部分水流在水箱内转变方向。在溶液中增加了营养物质的水流,返回到重要的输水管线。

(4)主要管道与次要管道以及水源连在一起。管道由混凝土制作而成,也有刚性的 PVC 管道、铝质管道或电镀钢性管道。这些管道与传统上喷灌使用的管道相似。对于小系统安装,可以使用高密度的聚合物质管道。

(5)农田两边次要的供水管道。次要管道既可以是中密度的聚合物质,也可以是刚性的聚氯乙烯(PVC)。

(6)侧边的送水管道一般是柔性的 PVC 或聚乙烯管道(黑色塑料管道),直径一般为 12~32mm。水量发射器嵌入到侧面管道中,以适应作物和土壤的类型条件。具有小钻孔的双孔管道、多孔管道既可用于水量传输也可用于系统的水量发射。额外的压力控制和二级过滤有时位于侧面管道的进口。

(7)水量发射器(出口装置)是滴灌系统的核心。水从发射器以恒定的低流量并在大气压力作用下发送出管道。发射器可以是一个滴定的装置也可以是微型管道或弯曲的小管,或商业制造的水量发射器材。发射器要尽量生产成小规格并具有恒定的小流量的,横断面要尽量制造得大些,以便减少水量发射器的堵塞。水量发射器的流量仅有每小时几升(小于 12L/h)。通过毛细压力,水从水量发射器水平或侧向地分散到土壤中。由水量发射器湿润的面积取决于水流流速、土壤类型、土壤含水量及土壤的垂直渗透力和水平渗透力。

大部分滴灌系统是固定永久性安装的,但也有一些轻便滴灌系统,它既可以季节性供水也可以利用有限的设备服务于大面积的灌溉范围。一般水流通过人工控制或自动化控制来传输下列水量:

(1)所需要的季节性灌溉用水。

(2)预先购买的水量。

(3)当土壤含水量低于预定标准时都要进行及时的供水。

2.8.7.1　滴灌的有利条件

滴灌的有利条件包括以下几方面:

(1)需要较少的劳动力。滴灌系统的操作简单,一旦系统建立就很容易操作而且不需要太多的劳动力。当采用自动化操作时,系统要进行大量的维护,滴灌系统劳动力的需求也很低。

(2)较高的产量。滴灌系统与其他灌溉系统相比主要优点在于对水流的控制便利。水流的供应尽可能地以渗流方式进行,这样便于作物的吸收。土壤含水量的缺乏要保持在较低的水平上,土壤的通风条件要维持得相当好。因为作物根部水的含量通过不断地灌溉保持较好,产量也比其他的灌溉方法高,一般增加10%～20%。对于贫瘠或盐碱化土壤,如果利用盐水灌溉产量将会大大增加。

(3)效率高。土壤表面的蒸发是最小的,深层渗漏几乎是完全可以避免的。直接的蒸发量很小,因为地面上只有一小部分(约占30%)是湿地。通过滴灌,水量分布比喷灌或其他地面灌溉要好得多。在风力较大的地区,滴灌比喷灌更适合于灌溉,因为滴灌的水量供应不受风力的影响。但是,滴灌的不利因素是管道常常堵塞,在很大程度上降低了水量分布的均匀性。灌溉的效率也取决于其他因素,如农民的漫灌或施肥技术等。在滴灌条件下,水的应用效率达100%,比其他方法节约水量30%～50%。

(4)没有地面径流。有些金属含量高的土壤不适合喷灌,因为这样的土壤渗透速度低,但这种土壤很适合于滴灌,滴灌利用非常低的供水流速而且水平湿润的范围很大。

(5)较低的电力成本。滴灌比喷灌需要较低的压力和较小的流量,因此电力成本较低。

(6)安装容量低。滴灌可以日夜进行,水量的分布也较广。因此,滴灌安装的容量低且使用小口径的管道。

(7)在任何时候都可以进入农田。特别在果园或其他地方,普通的农业耕作在滴灌时可以照常进行,例如为作物喷洒农药、消灭害虫在滴灌期间都是可行的。

(8)盐水可用于滴灌。通过不断的灌溉,作物根部水含量保持着较高的值,土壤中盐的含量保持恒定,同样灌溉水中盐的含量也是恒定的。灌溉水并不直接接触叶面,这样避免了叶面灼伤且增加了叶绿素含量。

(9)降低了喷洒农药、杀灭害虫的需要。由于滴灌不会湿润叶面,杀虫剂不能被冲走。此外,滴灌不能创造有利于植物生长的微型气候条件。通过将土壤表面的湿度最小化,害虫、疾病和真菌等问题都可以减少。土壤板结少、减少耕作、密实土壤、减少收获中的干预环节也是滴灌的有利条件。

(10)减少杂草生长。因为仅仅部分地表是湿润的并有营养物质供应,与其他灌溉方法相比,滴灌产生的杂草较少。

(11)改善营养物质的控制。通过滴灌可以向土壤供应营养物质,这样节约了劳动力。通过滴灌营养物质也会有效地被吸收,因为营养物质的调和在不断地以小容量进行,水中溶解的化肥直接输送到作物根部并很轻易地被作物吸收。这两种效果的结合为作物的生长提供了良好的环境。

2.8.7.2 滴灌的不利条件

滴灌的不利条件有以下几个方面:

(1)水量发射器的堵塞。水量分布系数和应用效率会受到堵塞的严重影响。为了防止堵塞,适当的水量过滤是必要的。发射器中小出水口和小导管的堵塞是最严重的问题。沙子和黏土颗粒、化学沉淀物及有机物质生长会堵塞发射器,堵塞的发生是渐进式的。水量减少和水量沿农田分布不均会引起作物产量的下降。管道上简易的小出水口会沿整个管道发生堵塞。这种管道在矩形农田(长 50~100m)的使用是非常实用的,因此必须解决堵塞的问题。人们发明了各种方法来克服非均匀湿润问题,这种湿润问题主要是由沿管道的水滴压力引起的。

(2)发射器的运行检查。检查发射器看其是否运行良好是很困难的,时间花费也很多。

(3)根系的限制。因为只有部分土壤是湿润的,人们必须注意到根部生长不受湿度限制。根部不会生长于干旱的土壤中。

(4)不适合大气控制。与喷灌系统相比,滴灌安装不能用于霜期保护和小气候的形成。

2.8.8 排水

表2.3给出了具有大的排水面积的国家的一些重要数据。排水的目标是创造排水状况良好的耕地,或防止土壤盐碱化。同时,要区别三种排水类型:

(1)作物季节排水,在作物生长阶段有大量的雨水排除。

(2)非季节性排水,在作物的非生长期排水。

(3)排除盐分,在灌区防止土壤盐碱化。

表2.3　　具有大的排水面积的10个国家重要数据一览表

（国际灌排委员会,2002 年）

国家	人口（百万）	农业人口的百分比（%）	总面积（$\times 10^6 \mathrm{hm}^2$）	可耕地面积（$\times 10^6 \mathrm{hm}^2$）	排水面积（$\times 10^6 \mathrm{hm}^2$）
美国	276	2	936	179	47
中国	1 267	68	960	135	20
加拿大	31	3	997	46	9
俄罗斯	147	11	1 708	128	7
巴基斯坦	152	51	80	22	6
印度	998	55	329	170	6
墨西哥	97	24	196	27	5
德国	82	3	36	12	5
英国	59	2	24	6	5
波兰	39	20	32	14	4
合计	3 148		5 298	739	114
全球总计	5 978		13 387	1 512	190

在农业土地排水中,一个重要的区别是介于湿地水稻排水与干旱作物面积的排水。前者的目标是控制农田的水深,或控制地表降雨径流;后者的目标是控制浅层地下水和地表径流的重要部分。盐水排除目的在于排除土壤中的盐分,以便土壤水分中的盐分不会超过一定限度而对作物造成危害。

2.8.8.1 排水系统的构成

排水系统是由下列要素构成的(图2.8):

(1)农田排水系统。

(2)主要渠系排水系统。

(3)排水出口。

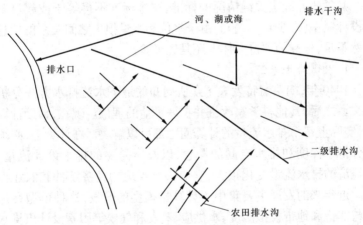

图2.8 排水系统的布置

在明渠中最常见的结构有:①排水管道;②渡槽;③堰。

在梯度较陡的地方可以用瀑布式排水结构。

由于与灌溉系统紧密相连,三个设计要素在设计时应当考虑到它们的关系。如果主要的排水系统不能将水排除到出水口,那么再好的排水设计和出口结构(水闸或泵站)都没有意义。在设计排水系统时,应当考虑到排水区外接受水区的条件。重力、干渠淤积(如在三角洲地区)或潮汐排水的小水头的回水都会引起排水的困难。

2.8.8.2 排水系统的设计

排水系统的设计一般比灌溉系统在一些设计信息上更难以理解和把握,在此将讨论这一点。当在河道上设计防洪护岸时,谁也不会保证洪水不会超过设计标准。因此,必须承认在设计中,指标的选择存在一定风险。护岸设计的越高,风险就越小,同时建设费用也高。在总的年费用和年损失处于最低标准时,就会存在最节省的设计效果。这个原理同样也适应于排水设计。

必须研究确定关键情况的标准,这个标准不得等于或超过某一设计频率(多少年一遇)。由于水位和水量损失之间关系的信息仍然不足,标准的评价大体上还是凭经验。

1)农田排水系统

1940 年,胡格赫特发表了众所周知的地下水流排水方法分析论文。之后,其他科学家改进并扩展了他的理论。现在,借助计算机,实际上每个排水流量的计算问题都可以解决。在计算上,必须区分排水深度和排水空间的概念,以及所需要的排水设计流量。最经济的排水流量变化很大,它取决于当地的经济条件和农业标准。近年来的发展主要集中于计算机模型的开发,这种模型在饱和与非饱和地带模拟湿度、水供应、蒸发和气候等因素设计出排水系统。在湿度和氧化作用条件下,研究结果可以根据作物的开发和产量进行评价。

2)稻田排水

在地区性水稻种类中,可以选用高产量的水稻进行种植。地区性的水稻种类必须选择适当的水文条件。当洪水水位不断上升时,这种水稻仍然可以生长。有所谓的"漂浮水稻"甚至在水深达 3～

4m时仍然可以生长,前提是水位增长的速度不超过 4~10cm/d,但是这种水稻产量很低。另一方面,现代短茎高产量的水稻需要严格的田间水深控制,正常水深一般在 0.05~0.07m。即使在水深很浅的地方,水稻生长很均匀,但是很难测量土地的高程和控制杂草以及灌水量。目前使用几种标准,但常用的是洪水水位为 5cm,不应超过 10cm。频率的超过数取决于农业的总体水平和其他输入。超过正常洪水水位会引起产量的减低。稻田排水系统示意图见图 2.9。

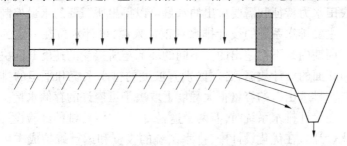

图 2.9 稻田排水系统示意图

设计条件可以定义为 10cm 水位发生的气象条件,一天的大暴雨或连续几天的大雨会引起这种情况。为了防止水位超过 10cm,必须排除多余的水量(表 2.4)。另一个排水标准遵循着这样的需求,即稻田内所有水量必须在合理时间(3~4d)排除掉,在这个时间内可以施肥和排除有害物质并考虑到水稻的成熟与收割时间。

表 2.4　　　由于水位超过标准引起的水稻减产的例子　　(单位:cm)

超过正常水深 (m)	高水位浸泡天数(d)		
	1~2	3~4	5~6
0.05~0.15	5	10	15
0.15~0.25	7	15	25
0.25~0.35	9	25	40
0.35~0.45	12	35	50

3)旱作作物与树木排水

在有干旱作物的情况下,必须控制地下水位以便空气(氧气)保留在根部,通过地表排水可以达到很好的控制效果。

4)主要排水系统

排水系统的主要功能是从农田中接受多余的水分并将它输送到出水口。主要排水系统的设计可以分为类型选择、系统布置和水力各构成要素的确定,农田排水的需求形成了设计的起始点。从农田水力特征和需要排出的水量可以得出所需要的水量控制程度。主要排水系统的设计排水量正常来说,设计水位在一定的时间或周期内是不得超出的。不同的环节与所接受的速度共同决定了横断面的设计数据,必须区别有坡度的排水系统和平坦的排水系统。排水出口的容量很大程度上取决于可容许的存储水量。

在设计排水系统时,有两个途径可以遵从:传统的经验设计和优化设计。在优化设计中,排水系统的投资和运行维护成本可以和产量及系统功能损害相对照。主要的排水几乎总是明渠排水,这是最节省的传输方法。地形、现有的集水器和主要的排水渠以及桥梁、农田边界和其他物理特征都影响了主要的排水位置。自然的排水口,例如河口、河道和池塘等固定了一个主要排水系统的位置。但是,主要排水系统的效率和排列可以通过使用固定排水点和平滑的曲线来改进。水流的速度一般可以保持在足够低的水平以允许土质排水沟的使用,并且必要时可以修筑护岸。

在主要排水渠布置中,需要遵循两个主要的考虑因素:

(1)主要的排水渠道,无论在什么地方,都应遵循坡度下降的方向设置。在农田中,高一级的渠道应当流向农田的最低点,低一级的渠道可以流向低一点的排水路线。对于农田排水来说,这种布置确保了最佳的设计梯度以便水量排入支渠中。此外,这种方法可以使主要的排水渠道更有效地接受多余水量。

(2)农田和农田边界主要通过较低的排水路线形成,因此这些设计途径应当以更有效的农作方式进行布置。有时,主要排水渠道的布置通过现有的基础设施或通过管理部门授权进行布置。沿财产或行政边界的渠道布置分解了土地损失。自然的排水渠道,作为一个规则,遵循土地主要的梯度原则,通常通过斜坡进行布局,这与主要的排水系统成为一个整体。出口的位置和结构在主要的排水系统规划中起着重要作用,他们决定了系统的主要设计要素,例如主要的排水渠道。

5)出口

明渠一般通过出口排出流量。出口的排水流量必须足以排出设计流量,并不能对下游造成损害。这需要对主要的排水渠道进行改进,出口设计位置的比较是必要的。在暴雨期间当排水系统按照设计流速排出水量时,水量的大小决定了水量排出的适应性。水量排出的频率研究对于大的河流、湖泊、潮汐来说是必须的。

6)径流的确定

排水渠道的水流来自各种水源:

(1)降雨径流。

(2)地下水的内流。

(3)从灌溉系统中溢出流。

(4)农田中的剩余灌溉水。

选择适当的设计原则会有效地控制径流范围。在此范围内,降雨历时会持续几天,例如 120h 的降雨排除径流需要 24h。对于 2 年间隔的暴雨发生率,可以用一些降雨系数决定径流体积。在计算这些系数时,要考虑到以下几个方面因素:

(1)地形的类型。

(2)土壤的结构。

(3)土壤的渗透率。

(4)土壤湿度的损耗水平。

(5)集水区的大小。

7)所需要的数据

对于排水系统和特殊的渠道系统,需要如下一些数据:

(1)农事信息。

(2)地形资料。

(3)水文气象资料。

(4) 沉陷预测。

农事信息包含了土地水平的需求。除了这些以外,还可利用信息制作土地的分类地图,用以显示某一地区种植某一作物的适应性,这种适应性是和特殊的排水、过滤和灌溉结合在一起的。排水系统是一个工程总的基础设施的一部分,包含了道路系统、航运渠道、生活中心与土地的划分区域。农田的大小和形状不仅和农田排水有关,而且和资产的类型也有关系。地形资料包含地图和等高线,在勘测阶段,可以使用1:50 000或1:25 000的地形图,其等高线的间距是0.5～1m。

对于可行性研究和工程准备阶段,可以使用1:25 000的地形图,等高线间距为0.5m;而在设计布局阶段,需要使用1:10 000～1:5 000的地形图,等高线间隔为0.25m或更小些。对于水力控制结构的设计,比例尺可以用1:1 000～1:500。水文气象信息是指降雨的资料、蒸发量、流量和水道的水位,如果这些数据在工程区域或周围存在,我们就会获得它们。因为排水系统在设计中,降雨资料的分析是最重要的。对于具有明渠的农业区域来说,日降雨量可以获得,但是对于城市区域来说,有时对于农村短时(1～3h)降雨来说,这些降雨因素应当考虑到。降雨资料的历时时间必须尽可能长地延伸以便使大暴雨发生频率的资料尽量齐全。常用的是水深－历时的频率曲线,如图2.10所示。

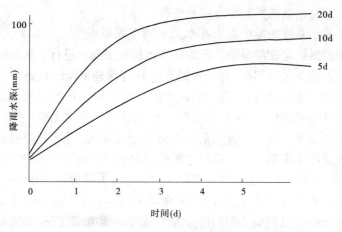

图 2.10　水深－历时的频率曲线

图 2.10 中曲线的含义是降雨的时间序列没有考虑,并且频率也取决于 n 天系列日历时降雨,因此通过模拟模型处理日历时降雨资料是可取的。

8)排水系统的建设方面

建设方面包括所使用的材料和机械以及实际建设、运行、维护和监测的设备。材料和设备选择的范围很广,许多新的开发产品已经提到过,例如安装与建设的改进技术、设备的革新和系统运行的现代化。关于地表管道排水的材料,应当分为三种类型,即排水管道、管袋和混凝土结构。主要的排水系统是指堰、桥梁、管路,这些也用来护岸和保护渠底。出口结构可以是泄水闸、带门的管路或水泵。当在低水头排除大量的水分时,适应于大多数排水条件的水泵能够进行有效的操作,它们也必须处理大量的泥沙和垃圾。为了合理地进行排水系统的安装与建设,人们开发了几种机器和仪器。设备可以分为疏浚、挖掘机器、建筑控制设备和辅助机械设备。

9）排水系统的运行与维护方面

排水系统的维护需求基本上不同于灌溉系统。一方面，灌溉系统的维护是在灌溉季节开始前进行或在灌溉时进行。灌溉的水量或多或少可以测得，对于农民或灌溉管理处来说一般是很清楚的。没有维护，作物会遭受到缺水的危害。排水系统的维护是一种自然保护现象，在某一未知程度上、在雨季到来之前这些维护活动必须完成。存储与传输的排水数量变化很大，排水不足引起的损失比雨季来得晚。与灌溉系统维护的不同导致了许多情况的发生，这些情况没有引起排水管理者的注意。另一方面，排水系统维护不足的负面影响比灌溉方面的影响更大，可以导致涝灾、土壤酸化和盐碱化及泥炭土壤的迅速沉陷，然而在灌溉情况下，只对作物有危害。

排水系统的维护可以消除排水系统的不足之处并阻止这种缺陷继续蔓延。在前者需要进行合理的监测；后者需要一个合理的计划，以表明前者属于维护后者属于规划。在大多数情况下，明渠维护的主要影响因素是植被的生长。在植被生长中，明渠是通过不断消除过流阻力进行维护的。排水渠道必须停留在这个阶段以保持水力功能。水生植被是必要的，因为植物可以保护渠岸或底部免受侵蚀，特别在沙质渠中这种保护更能发挥作用。必须记住水生植物种类是不需要的，过多的水生植被引起渠道淤塞。很容易想像，农民把渠道维护作为他们首要的责任。但是，植被的生长取决于当地的地质条件，农民可以根据植被生长状况采取不同的处理方法。一方面，在具有长期排水历史的情况下，或在排水逐渐从小规模的农沟到大型设备排水情况下，可以根据这种方法进行维护。在有政府安装和开发的排水系统情况下，农民可以直接使用这些设备。农民在起初阶段自己维护系统似乎既不现实也担负不起如此重的运行维护成本。另一方面，期望政府永远承担整个的维护任务也是不现实的。因此,为了确保排水系统的功能,在农民自己承担得起运行维护费用的前提下,要制定一个灌区运行的框架或计划。这就是说,在开始建设排水工程以前,所有的用水户应当明白:要维护什么;什么时候维护;谁去维护;资金责任的转换从政府到农民是怎样的;对地表管道排水设施的维护,有一种渠道检查设备和排水管道的清洗设备。对明渠中水生植被的控制,可以利用三种方法,即机械清除、化学方法和生物方法。同样对于排水,必须区分斜坡地区的排水和平坦地区的排水。在以后的章节中将阐述一些典型的区域类型。

10)有斜坡地区的排水

有斜坡地区的排水系统设计主要利用:

(1)水文径流路线模型。

(2)水力模拟模型。

水文径流路线模型一般在存储原则和传输时间原则基础上应用。

降雨的选择取决于:

(1)所需的服务标准。

(2)超过降雨标准的结果分析。

(3)小流域集水的时间。

(4)流域的大小和坡度。

(5)参照降雨历时周期表。

时段的选择取决于:

(1)所需要服务作物的类型。

(2)是否涉及到城市或工业区。

(3)流域的大小和形状。

(4)流域的坡度。

(5)服务标准的大众期望值。

到达和传输给主要排水系统的水源不同于降雨径流,它是可以计算和调节的。将所有的水源描绘在一起可以形成一个水位曲线图。在大流域,排水系统所需的设计容量可以通过农田之间或各出口之间进行计算获得。

当土地或多或少地沿着长的伸展方向均匀分布时,为了在挖掘时不至于挖到农田排水沟或集水区,那么进行合理的布置是必要的。

11)平坦土地的排水

在较低的流域、三角洲、未开垦的湿地、湖区中可以发现平坦土地(水平地形),具有控制水管理的平坦土地的一个特殊类型就是圩区土地。关于圩区的定义存在着几种,萨格林给出的定义是:圩区是一块平整的土地,其原始状态受到高水位的影响。圩区独立于周围的水文系统,可以实现独立控制水位。在本章中,排水可以定义为排除因降雨、渗漏、灌溉和船闸关闭引起的水位抬高等产生的多余水量的技术措施。排水也用来控制土壤水中的盐分。

在平整的土地上,出水口的水位控制着水头,它也决定着区域的排水方式,例如是通过重力排水还是通过水泵抽水。

对于平坦土地的排水系统,可以通过几个重要的要素来表征。这些要素决定着它们的价值和相互作用,也决定着系统的功能。这些要素是:

(1)农田排水沟深度。

(2)明渠水位和明渠水的百分比。

(3)流量和水泵设计容量。

这些地区的土壤一般由黏土和泥炭构成。开垦后,土壤的成熟过程会由于土壤结构的变化和渗透作用以及沉陷等因素而发生。沉陷过程对于结构水平、明渠水位的确定是重要的,这会影响到各类土地结构的土壤适应性。主要排水系统的设计是复杂的,水流所需要的水力坡降可以通过出水口的陡降和允许其上端的排水水位上升,由人工产生。当接受到的水体水位发生变化时,可以应用排水闸排除水量,这时排水会受到阻碍。这种结构的设计对于非正常的高海水位和河道洪水是很重要的。一旦外部水量引起的损坏时间较长,就需要额外的措施,例如水泵抽水。由于出水口一般也是洪水防护系统的一部分,它也必须以不损坏防护设施的方式进行建设。

抽水泵排水的运行必须从每年几天延长到更长的时间。在某些情况下,由于平均海水位的沉降和升高,抽水需求逐渐地得到满足。日径流一般为确定水泵的设计抽水量提供重要的基础。降雨分布和径流在最终分析中有相当大的影响。年径流在估计年运行成本时是非常有用的。排水系统的设计优化是指排水各要素的优化或系统优化以及系统之间的内在作用优化。排水系统主要设计要素的最佳优化是由三部分构成的,即排水计算、经济计算和优化过程。农业产量主要取决于排水系统的运行状况;相反,排水系统的状况决定了产量的大小。排水系统主要元素之间的关系水平可以确定。这样,优化系统可以据此进行创建。通过这种方式,排水系统的建设、运行和维护的年费用以及产量的降低和损失保持在最低标准上。流域内系统之间的作用和系统的优化可以通过低地水管理的地形进行分析。通过比较各类策略,整体主导规划可以开发出来。在开发中,要考虑到水质、土壤酸性和盐度以及水量等因素。

水管理的最小单元是农田。在农田标准上水管理的策略应把重点放在维持地下水水位上,这个水位对于特殊的土壤、气候和土地使用条件来说应当是合理的。分析主要与水管理的水力反应参数有关,此外分析还和地下水和明渠水的溶质输送有关,重点是对长期水管理策略的运行规则和指导原则的研究和对水力运作战略的制定。在灌区标准上，如潮汐方面地形条件与水位波动、土壤的渗透和土地的使用、地表水和地下水的水质、灌溉排水的可能性、基础设施系统的不同类型等因素有关，这些都是研究的内容。基于水力地形条件，水质和水量、土地的利用情况可以进行探究。三角洲地区的水资源系统是自然生态系统的一部分，包括物理、化学和生物元素以及相应的过程和内在作用。在系统研究中，必须对开发战略和三角洲地区水位以及盐分侵袭进行分析。此外，带状土地系统的开发和与水文地理条件有关的土地使用在三角洲开发中是关键要素。因此，三角洲水平的模型必须能够评价潮汐范围、丘陵地区径流、开垦面积、水管理系统、水位和盐分侵袭的关系。

12）地面沉降

在具有高地下水位及经常发生涝灾的地区，当排除水量以便适应农业耕作时，经常受到相当大的地面沉降影响。因此，沉降的预测对于排水系统的设计来说是必不可少的。在具有大量黏土的地区及种植旱作庄稼和树木并具有深层排水的地区，地面的沉降在 10～20 年后多达 1.0～1.5m。在泥炭土壤地区，由于有机物质的氧化作用和土地板结，地面沉降更多。在保持土壤全年湿润的地方（如稻田），沉降要小一些，沉降会使重力排水系统失效。微小的沉降改变了地形地貌，这样灌溉排水渠道的功能各自地受到影响。大部分沉降（约 70%）发生在地下水位以上，且只有通过比较方法才能预测到。发生在地下水位以下小的沉降通过使用土壤机械原理方法可以预测到。

13）渗流

在圩区过多的渗流是当地面远远低于周围地面或半个顶层开发不足时就会产生。特别当这些土层厚度太小以至于主要的排水截断了顶层甚至排水渠道时，就会存在过多渗流，渗流会沿着主要的排水渠道集中（图 2.11）。

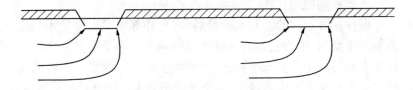

图 2.11　集中到排水沟的渗流

在荷兰的一些圩区中,渗流的聚集连续多达 20mm/d(或 7 300mm/a,对应的年降水量为 750mm)。

14)灌溉排水系统的结合

在平坦地区,圩区主要排水渠道的网络在某些情况下是必要的,似乎使用同一网络来灌溉也是合理的。因为灌溉职责通常比排水小得多,主要排水系统的设计容量正常来说对于传输灌溉水是足够的。当主要排水系统具有低水平时,利用水泵抽取排出水用于灌溉是必要的,这种情况在东南亚的三角洲地区和荷兰得到广泛应用。其明显的好处就是只需要有一个渠道系统,且运行简单。灌溉水不应当含有过多的泥沙。灌溉水的水位从外部区域到渠道一般较低。上述系统表明了一个主要的和次要的灌排系统的结合情况。如果所用的水量太少,且渠道系统的数量足够多,农民就可以利用手提式的小水泵从主要的农田排水沟抽取水量。水也可以在聚集的基础上供应到三级畦田(比如 $500 \sim 1\ 000 \text{hm}^2$)。在后一种情况下,在三级畦田中可以建立小水泵站($0.5 \sim 1.0$ m^3/s),水可以通过重力传输到私有的农田或畦田中,主要的系统仍然是可以结合的。低水位的主要渠道可用以起到双重目的,既可以排水又可以灌水。但是,次要的系统是通过高水位的三级灌溉渠道和四级灌溉渠道以及低水位的农田排水渠道进行分割的。灌溉排水的功能结合的决定因素包括以下两个方面。

• 水质问题的存在

即使在好水质的灌溉水稀释后,来自外部主要渠道的水质仍不能用于灌溉,因为它含有高盐度和酸碱度。高盐度是由含盐的地下水或污泥中的盐水造成的,在酸性土壤地带这是一个特殊情况。为了避免灌溉水的污染,两个系统排除水流的分隔是必要的。渠道分隔的原则是供水与排水的时间轮换。

• 灌溉季节中水量的发生情况

如果主要的排水渠道用以传输灌溉水,排水渠道的水位尽管仍然低于土地的高程,但是水位必须抬高到一定的高度,在湿季和明显的干季中这种情况是允许的。但是,在降雨过多的气候条件下,会产生高水位。一些存储空间必须是可以利用的,以存储多余水量。在这种情况下,人们非常期望至少有分隔的主要灌溉渠道和排水渠道。排水渠道必须不断地维持在一个低水位上。

15)城市排水系统的基本概念

城区可以通过硬化区域和非硬化区域来表征。硬化的区域一般由平房、高楼、街道和社区构成,非硬化区域一般由绿地、公园和停车场构成。硬化区域一般通过污水处理系统排水,目前有很多种污水处理类型,基本的决策为是否利用结合方式或通过安装分隔的污水系统进行排水。联合的污水处理系统聚集了多余的雨水和家庭污水以及工业废水,并将它传输到城市排水区域、或周围的农村地区、或传输到河流和海洋、或传输到污水处理厂。在污水处理厂,污水经过处理后排放到允许的空间。如果应用分隔系统,污水一般传输到污水处理厂,剩余的雨水传输到城市排水区域。绿地的排水可以通过明渠或地下排水系统释放到城市的排水区域。

16)在城市环境中水的功能

在城市环境中水的功能有以下几种:

(1)暂时储存和传输剩余雨水。

(2)美化功能。

(3)娱乐功能。

水的首要功能一般为城市水道的供水功能。但是,这个功能可以和美化功能与娱乐功能相结合,这些方面在城市水道设计中要加以考虑。这样做是可行的,例如包含城市公园里的水或其他娱乐区域,可与住房的布局结合为一个整体。

17)城市水管理系统的回顾

在城市市区为确保有效地排水,下列系统是可利用的:

(1)为控制地下水的地表排水。

(2)地表水控制的污水排放。

(3)在一个地区作为主要排水渠道的开放水道。

城市地区的排水标准要比农村地区高,因为降雨与排水之间的间隔时间非常短,而城市地表不能允许大量积水的存在。在一些城市的市区,例如荷兰,人们习惯用 1m 高的沙子和黏土抬高楼的地基,在实际建筑以前就建造了地表的排水系统,这样的排水系统能够执行下列功能:

(1)具有足够承重容量的合理排水功能。

(2)一个合理的排水居住区域。

(3)由于沙重引起的加速沉降。

同时,必须区分城市地下排水的四种类型:

(1)单一的地下排水系统。该系统由平行的排水渠道构成,这些排水渠道将水直接排入到城市渠道和主要的排水系统中。在城市排水系统建设以前或体育场地和其他娱乐设施建设中,这个系统被暂时利用。这个系统的方便之处是它建设相对便宜且很容易维护,不利条件是这个系统很容易在建筑区域被污水和管道等设施弄混乱。

（2）地下排水系统的交叉方式。该方式目的在通过建筑活动减少排水系统的负面影响。两个单独的系统相互垂直地安装在一起,上面的系统布置在下面系统以上约 0.15m,以免两个系统的相互影响。如果发生系统中断,以前经常使用的材料例如卵石可以用来过水。通过这种方式,保持排水是可能的。

（3）复合式地下排水系统。在城区和娱乐区域,有太少的明渠排水渠道和太多的障碍而不允许单一地下排水系统的存在。在这些情况下,复合式地下排水系统是一种可行的选择方式。排水渠道将水排入到集水区,而后这些流量进入暴雨急用的排水渠道,排出城区。这种系统的建设比较节省,但不利之处就是它的复杂性和风险性,即当集水渠道损坏时相对大的城市区域不能排出足够的水量。

（4）大体积容量的排水。这种方式可以应用于建筑物周围的地下水的控制,它直接位于建筑的前面。在楼房建筑后很难安装这种排水系统,因此大体积排水系统应当提前安装在建筑物前面。在楼的底部至少需要铺垫 30cm 透水沙层,排水沟中也需要铺垫沙层以便和建筑物的排水系统有一个很好的衔接关系。大体积的排水是一个相当可靠的排水系统,但是它的安装花费也相当高。城区排水系统的主要因素是排水管道的直径、渠道的宽度、距离、水位、排水堰的宽度和抽水泵的容量。这些大小因素和它们的相互作用决定了整个系统的功能。

18)城市排水的设计原则

在城区,污水系统的水排除不能受到障碍。从污水系统的水力特性来看,要排除的水量能够达到所需要的水量控制程度。出水口的容量在很大程度上取决于可允许的储存空间。水量的存储可以利用地表、土壤和污水系统以及明渠系统。地表存水的原则基本取决于硬化地表的临时淹没情况。在城市区域,土壤的存水只在未硬化的区域起作用,特别有意义的是在明渠、池塘和湖泊中地表排水的作用更大。在设计条件下水位的可持续上升在10~40cm之间,城区排水系统的设计以涝灾和洪水淹没不能导致房屋损坏或基础设施冲毁为最大的限度目标。在这种情况下,设计人员必须记住,每公顷楼房和基础设施的价值比农村高得多。因此,排水系统的功能一般需要有较高的标准,这样会导致在不同的国家有不同的设计标准。一般来说,所遵循的设计标准如下:

(1)更可取的正常条件。这些是一个设计者愿意在城市排水设计中遵从的标准,他们会得出更可取的设计水位、泄水闸和泵站的运行规则,这个设计原则与城市的土地利用紧密相连。对于地下水来说,在正常条件下知道所期望的地下水位是重要的。在住房、商店和工业区域,这种设计条件应当进行更好的掌握。一般来说这会导致地下水位升高0.8~1.2m。

(2)设计条件。这些是关于污水系统、水道、泄水闸和泵站设计方面的内容。总之,它们的形成是基于以下三个方面:①正常水位的超出程度;②超出水量的历时;③表征超出水量发生的周期。

一般情况下,水位的超出在地表上达到几分米,周期采用5~10年。

(3)极端条件。尽管一般情况下这不是一个设计原则,但是控制计算是按照极端情况进行的。对于城市区域,这意味着时间在50~100年。在这些情况下,最大的设计存储量是可以接受的;此外,也要对侵蚀的风险进行研究。当结果可以接受时,设计准则可以进行修改。表2.5展示了荷兰城市区域考虑到地下水和地下浅层水的设计原则。

表 2.5 荷兰城市区域排水设计原则

目的地	地下水位(m)	渗流(mm/d)
建筑区	0.60	10
居住区	0.70	5
体育场	0.50	15
娱乐与绿地	0.50	7
墓地	0.35	10

19)排污系统设计

暴雨污水系统从硬化区域聚集水量,也可以从未硬化的区域聚集水量并将水输送到开发的城市排水系统中、或排放到城区外的水道或污水处理厂中。污水系统本身也有一定的限度,在这种限度内可将水送入排水系统中。当超过一定限度时,水会保留在街道里。在联合排水系统中,暴雨雨水与废水混合在一起。如果水量传输到污水处理厂,处理厂要有一定的承载容量,这就是说要达到一定的承载能力,水可以存储在污水处理系统中并被处理厂所容纳。当承载容量超过一定限度时,剩余部分直接排入到明渠中。在分隔的水系统中,暴雨一般直接通过污水系统排除,而不经过处理。对于基本的系统有几个变化因素,在设计原则中他们仅仅引起很小的变化,只有结合式的或分离式的污水系统可以有既定的设计标准。

对于暴雨污水系统的设计必须遵循以下几条途径。

(1)给定的设计流量。这个流量主要建立在经验基础上,排水容量是以 $L/(s \cdot hm^2)$ 为单位来表达的。在每一个沟渠中,基于这个输入概念,沟渠与水道的可利用水头和污水管道的大小可以被确定下来。

(2)路线模型的应用产生了污水系统的内在流量。路线模型是合理的方法,通过这个方法,从某一距离到沟渠的传输时间可以确定下来。对于某一设计暴雨模型和径流模数,污水流量的雨量转换方式可以确定。基于内流的形式,沟渠与水道的可用水头和所需要的管道大小可以确定下来。

(3)水库模型的应用。在这个方法中,水量传播时间是可以忽略的,只考虑储存的空间。一般来说,非衬砌的水库模型能够给出最好的结果;同样,在这个例子中,设计流量类型可以产生。基于这个流量类型和沟渠与水道之间的可用水头,污水管道的尺寸可以确定下来。

通过物理模型完成降雨径流过程模型,一般仅仅应用于研究项目而不是应用于实践。对于联合污水处理系统,可以遵循同样的方法。但是,在这种情况下会对废水的处理增加额外的负担。从下水道的内在水流转化成渠道明水一般通过水库的模型类型来实现。在某些情况下,要通过管道系统进行非稳定流的模型研究,能够显示排水布局的地图可给出渠道和结构的位置信息。在城区,这种信息可以与硬化和非硬化的区域的信息、房子或楼房位置、饮用水供水线路的位置、电器设备和电话通信设施等的位置一起给出。

20)城市渠道的设计

城市渠道的设计中排水功能起着决定性的作用。一般来说,水位是由排水功能决定的。可以接受的水位在渠道系统局部也会出现反弹现象,这些系统在多余的水量储存中起着重要作用;特别在潮湿的热带国家,雨水过多,建立储水系统更有必要。在这种情况下,有时解决的办法就是将城市的水量与低洼地势的水量一起进行处理。否则,这些水量将在一年内的某些天出现泛滥现象。

21)城市排水的流量

与圩区内的排水系统有关,应当区分两个基本的解决途径,即:①在圩区内周围的农村地区,城市的排水排向主要的排水系统;②城市的排水系统直接排向外部水域。在这两种情况下,通过闸门或泵站排出水量,主要取决于所希望的城区水位和外部水位之间的关系。城市渠道和外部水域的连接一般是不可取的,因为在可接受的水位下水位波动和水质存在差异。

2.9 水土资源开发[*]

水土资源是人类生命中最基本的要素。本节将给出一些水土资源的数据和资料,以及这些资源目前的利用情况和未来对水土资源的需求和获取。认识到地球上快速的人口增长、人口增长对生活标准的改善要求以及资源的恶化是很重要的。我们将把重点放在土地资源利用上,但是为了满足未来需求的土地资源开发,如果没有水利资源的开发是寸步难行的,即将给出的分析主要指全球性或地区性的分析单元。由于水土资源分布和全球需求的非均一性,只制定政策和规划是不够的。这些政策和规划执行的很少并具有地区非均一性,例如水力单元(流域、次要流域)和政治实体(跨国河流流域、国家和省)。

2.9.1 土地资源

目前世界上的耕地面积已达 15 亿 hm^2,大约占总陆地面积(131 亿 hm^2)的 11.5%。目前,全球灌溉面积约 2.7 亿 hm^2,占世界可耕地面积的 18%。70%的水来自河流系统,其中约 60%的水被耗费掉,其余回到了河流中,以便下游继续使用。靠雨水灌溉的作物的排水约 13 万 hm^2,占世界可耕地面积的 9%。在灌溉面积

---

* 本章从 2.9 节开始内容摘译自荷兰基础水利与环境学院教授舒尔兹著的《水土开发》一书。

中,约 0.6 万 hm^2 安装了排水系统。只有在提供相关的服务内容时,才能获得高产量和高作物种植密度,但需要投资并解决资金问题。

在这些领域,当解决未来人类粮食需求的问题时存在着以下主要的障碍:

(1)防洪。

(2)水量供应的全部控制。

(3)适当的灌溉和排水。

(4)先进的水管理技术和农业耕作。

(5)农田投入的最佳效果。

(6)工业布局(由农民参加的灌溉或排水协会、信用系统和服务业的扩展)。

(7)现有灌排系统的现代化。

土地开发主要涉及到以下几个方面:

(1)高地的开垦。

(2)低地的开垦。

(3)土壤的密实化。

土地开垦的特征:当考虑到要开垦土地时,切实注意到水管理系统和土地利用是非常重要的。水管理系统主要取决于灌溉排水的需求,土地利用主要在农业区域。但是,低地区域对于城市、新工业区来说也是有必要开发的。

为了使土壤更适合于农业耕作,必须提高土壤的结构质地。在开垦高地中要采取的措施主要有:

(1)盐分和有毒物质的过滤。

(2)土壤侵蚀的控制。

(3)建造梯田。

(4)水流控制。

为了使土壤更适合于农业耕作,必须提高土壤的结构质地。在开垦低地中要采取的措施主要有:

(1)降低地下水位。

(2)过滤盐分和有毒元素。

(3)通过添加作用,比如石灰改善土壤结构。

(4)化学品的应用。

(5)垃圾处理。

与低地的开垦有关,保护标准也很重要,保护标准取决于:

(1)所规划区域的内部价值,如财产价值和人的生命。

(2)外部添加,即海洋、湖泊和渠道。

土壤的密实工程和程序一般在开垦区域执行,这些地方有长期的社会传统。只有当参照现有的人口进行开发和贯彻时,这些工程和程序才会成功。一般来说,工程和程序在较小的规模上进行,比土地的开垦持续的时间长。

2.9.2 水利资源

没有和水利资源的协调开发,土地开发几乎是不可能的。水资源具有广泛的用途:灌溉和一些特殊的农业用途、家庭生活用水、工业用水、航运、娱乐和自然保护。在许多区域,具有不同需求的用户之间存在着日益激烈的竞争。因为再用水占大部分(70%),而用于灌溉的水在这些种类中占有特殊的位置。在很大程度上,这部分水是不可再生的,因为这些水不能再回到河流中被重新利用。

2.9.2.1 水资源的开发

大约在 5 000 年以前,人们就开始利用水资源并保护自己免受水害的侵扰。直到 17 世纪,人类开始修建各类水利工程。这些工程的规模和标准很低,并且没有充分认识到自然力量的破坏作用和工程的负面影响。表 2.6 给出了历史上主要的水利事件。

表 2.6　　　　　　　　　　**有历史记载的水利工程大事记**

年份(公元前)	事件
4000	在一个叫爱丽都的底格里斯河(西南亚,流经土耳其和伊拉克)流域开始有灌溉活动
3200	在古埃及国王统治时期,在埃及有了第一次灌溉的证据
3000	为了保护孟斐斯城(古埃及城市,废墟在今开罗之南),美尼斯(埃及统一后第一代国王)沿尼罗河建造大坝
2950~2690	埃及建造了萨德·卡发拉大坝用于饮水和灌溉,是世界上最古老的大坝
2750	印度西北部的河流,印得斯流域开始建造供水和排水系统
2200	中国大禹治水中建造的各类水利工程
1750	翰墨丽吉国王开始编写水利代码
1700	在开罗开挖了约瑟芬水井,深约100m
1300	尼泊尔建造了灌溉排水系统
750	也门在瓦德河建造玛丽博等大坝
714	(伊朗等国从山上引水至平原的)暗渠、坎儿井在伊朗、埃及和印度等国开始修建

　　人类水管理实践的直接影响只涉及到1%的水资源利用,包括淡水湖、水道和地下水(表2.7)。但是,人类的实践活动几乎影响到了地球上所有的水资源。水文循环是水资源利用的一个环节。通过这个循环,水从大气中回落到地球,接着又蒸发到大气中。陆地上几乎所有的降水都来自海洋,只有10%来自地面蒸发。在水文循环中,所有环节包括灌溉耗费的水、生活水供应和排除水量,代表人类影响的分支环节对主要的循环系统施加了更大的影响。在研究水资源开发中,水量平衡和人类活动造成的可能影响起着重要作用。需要区别几个类型,如地球的水量平衡、人类社会方面的平衡、流域平衡和城市或圩区的水量平衡。在水资源研究中,一个重要的

单元就是流域。流域的水平衡呈现出很大差异,降雨的范围从15%～70%(如委内瑞拉的奥林奴克河流)。起初,水量平衡和人类活动的影响只是从水量的观点和角度去研究,这些研究开拓了水土开发工程的一种新途径。这些开发项目在技术上和经济上是健全的,并将引起巨大的开发过程和水资源的大规模利用。

表 2.7 　　根据国际地理联合会调查的地球水量

水的范围	水域面积 ($\times 10^3 km^2$)	占总水量的比例 (%)	淡水含量 (%)
世界海洋	1 300 000	97.22	—
盐湖和内陆海	100	0.008 0	—
冰山与极地冰川	28 500	2.136	77.63
大气水	12	0.001	0.035
植物和生物器官水	1	0.000 1	0.003
淡水湖	123	0.009	0.335
水道	1	0.000 1	0.003
土壤和地表水	65	0.005	0.178
地下水	8 000	0.620 0	21.8
总水量	1 336 802	100	—
其中:总淡水量	36 702	2.77	100

　　与水土资源开发有关,气象因素中降雨和蒸发是特别重要的。降雨涉及到年降水量、年内分布和短时强度。如果降雨蒸发的不同呈现负增长,那么它决定了灌溉系统的需求。如果水量过多,排出总水量决定着系统的容量。短时降雨在排水系统设计中是很重要的,取决于降雨强度、中途拦截和土壤的渗透之间的比率,所有的降雨可以渗透,部分降雨存储在地表并引起地面上的水流漫溢。在城市区域,渗透率非常低甚至为 0,因为部分土壤被街道、房子和广场所"覆盖",因此城市存在着迅速的排水流量。关于地下水,应区别饱和地带和非饱和地带。非饱和地带的条件,如实际含水

量、枯萎点、土地容量和饱和度对于干旱作物是很重要的。与水管理有关,土壤显示的范围很大,例如平均的孔隙度从黏土的45%到石灰石的5%。这些差异影响了各类土壤类型的适应性和土壤灌溉排水系统的设计原则。所有降落到地面的雨水,不经过蒸发、排除和人工抽取,都汇入到河流中。由于不同的组成要素,例如流域的大小、梯田的坡度及土壤的结构,流入到河流的流量是不同的。同样,由于人的活动,进入河流的水质和水量也是不同的。河流可以传输是由于自然、人工等要素。承载的容量随排除水量的不同而不同。河水的水量和水质,如果对于灌溉和家庭用水都很有用,那么我们会决定其各指标。表2.8显示了1990年和2025年可再生水资源的水量和陆地利用的水。表2.9显示了1950年、1990年和2025年全球的用水量。从表2.9中我们可以看到,从全球范围来说,水的利用量只是水资源总量的很小部分,似乎仍然

表2.8　　　　估计和预测的水资源再生量和各洲的用水量

地区	可获得的再生水量			水的利用量			
	总水量 ($\times 10^9$ m^3/年)	1990年人 均占有量 (m^3/人)	2025年人 均占有量 (m^3/人)	1990年 开采量 ($\times 10^9 m^3$)	1990年 耗费量 ($\times 10^9 m^3$)	2025年 开采量 ($\times 10^9 m^3$)	2025年 耗费量 ($\times 10^9 m^3$)
非洲	4 047	6 180	2 460	199	151	331	216
北美洲	7 770	17 800	12 500	642	225	836	329
南美洲	12 030	40 600	24 100	152	91	257	123
亚洲	13 508	3 840	2 350	2 067	1 529	3 104	1 971
欧洲	2 900	3 990	3 920	491	183	619	217
澳大利亚 (大洋州)	2 400	85 800	61 400	29	16	40	23
全世界	42 655	7 800	4 800	3 580	2 195	5 187	2 879

有相当大的水量可以用以满足未来需求。但是,由于水资源是由河流径流形成的,不是都可以使用,只有少量的水可以开采利用,剩余的水在洪水期间必须排入到海洋。在其他时期,排入到海洋的最小流量必须维持在一定的限度内;另一方面,地下水的补给也是可能的。

表 2.9　估计和预测的 1950 年、1990 年和 2025 年的全球各领域用水量

（单位：$\times 10^9 \mathrm{m}^3$）

项目	1950 年		1990 年		2025 年	
	开采量	耗费量	开采量	耗费量	开采量	耗费量
农业使用	1 124	856	2 412	1 907	3 162	2 377
工业使用	182	14	681	73	1 106	146
市政使用	53	14	321	53	645	81
水库	6		164		275	
总计	1 365	884	3 578	2 033	5 188	2 604
世界人口（百万）	2 493		5 176		8 284	
灌溉面积（$\times 10^6 \mathrm{hm}^2$）	101		243		329	

对于工业国家,如法国和英国,每人年均耗水量大约在 $550 \mathrm{m}^3$,这些国家灌溉水量相对很少。在埃及,农业灌溉用水来自尼罗河,相应的年人均耗水量为 $1 200 \mathrm{m}^3$,而用于工业的水量只占总用水量的 5%。

假定在未来的 50 年,灌溉和工业化将扩展到全世界,那么弄清楚世界平均实际用途是在 $1 000 \mathrm{m}^3$ 还是在 $660 \mathrm{m}^3$ 是很有必要的。考虑到在未来的 50 年世界人口将翻一番,而世界可利用的资源是表 2.8 中的一半。很显然,在全球基础上,水资源仍然是足够的,但是或多或少的水短缺将会在某些国家和地区存在。这些水短缺的国家和地区的次序是北非(埃及和马格里布)、中东,接下来

是非洲的东南部。在某些地区,例如在北非和中国以及南美的部分国家,由于工业开发和城市建设,存在着激烈的水土资源的竞争。另一方面,还有一些地区,水资源将维持相当长的时间,例如南美亚马逊河(南美洲大河)流域和中非。但是,这些水资源需要进行调节以应付河流流量的非均匀分布。迄今为止,这项工作只开展了一小部分。

在主要的开发期(1955～1990 年),世界上有超过45 000座的大坝和估计超过 800 000 座小水坝建成。这些流域的总有效容量超过 5×10^{12} m^3,占所有河流的径流量 12.5%。这个百分数是基于这样一个事实,世界最大的河流(亚马逊河占 18%,其余包括刚果河、印度恒河、中国西藏雅鲁藏布江、南美北部的奥里诺科河和中国长江)很难甚至不能开发。在开发河流中,存在着许多反对意见,如修建新的大坝,这些意见主要考虑到环境问题和居住问题。

2.9.2.2 水资源开发的概念

一般来说,水土资源的开发工程必须适应于一个国家或地区的开发政策。水土资源的开发在类型和规模上存在着很大的不同,这主要是指新区域的开垦和开发,以及现有区域的改进。下面叙述各类开发途径:

(1)大规模的迅速开发。

(2)小规模的逐渐开发。

在开发途径中存在的另一个区别是:

(1)直接建立在最终开发阶段。

(2)大跨越式的开发。

对于不同的开发途径,必须考虑到一项工程必须遵循各个阶段的不同要求,并应当包括社会经济和社会环境的开发后果。

2.9.2.3 开发的策略

在现有的水资源面积或新面积的开垦中,可以遵循不同的开发策略。下面各方面对现有的面积改进起着作用:

(1)政府的作用。

(2)决定面积改进方式。

(3)与用户的咨询与协商。

(4)工业的改革与成本的回收。

(5)土地的所有权。

关于新土地的开发,下面各方面是可能的开发途径:

(1)政府的作用。

(2)物理基础设施的安装。

(3)未来用户的识别。

(4)新机构的建立。

政府在现有的面积改进中的作用,一般起着指导作用。在某一情况下,政府的不同标准一般必须与他们的不同责任相结合。

1)改进方式的选择

在现有土地面积的改进中,各选择项目的结合一般会发生在以下几方面中:

(1)物理基础设施的改进。

(2)水管理系统、道路系统和水运输系统。

(3)农业生产条件的改善、土地的分配、农业的扩展和作物的多样化。

(4)市场条件的改善。

(5)信用、水储存和市场开发方面。

2)与用户的协商

在即将改进的区域,存在着土地的所有权或土地的所有者。工程的目标一般是改进区域的生存条件和生产条件。正常来说,这需要广泛的咨询和审批程序。在这个审批的过程中,权力部门调查所选择的项目是否是最成功的一个。

3)工业改革和成本回收

在许多情况下,政府是所有者,它承担着主要的运行与维护责任。与改善的各方面有关,不能维护与改善所有权的情况在不断增加,这就需要工业改革和成本回收。

4)土地所有权

土地所有权通常会导致很大的问题,并延迟了土地的开发进程,因此这方面从开发初期就值得注意。

5)新土地的开发

政府的作用是通过政府部门、私有公司或借助外部帮助进行土地适应性调查。大面积的土地开发工程通常涉及到政府、金融部门或其他咨询顾问。在开发工作以前,为了决定开发目标和一些基础数据,起初会进行一些讨论,例如要估计土地的范围和边界。土地使用的种类,既可以按照参考进行描述也可以进行部分分析获得。

在新土地开发中,必须采取适当的经济措施和物理措施。所需要调查的强度和规模以及活动的安排应在土地开发之前经过各方面协商后进行。开发工作的行政、法律、财政意义也应当明确。作为一个规则,政府在土地开发项目中起着重要作用。这种作用既通过提高设计水平来体现,也通过加强项目的实施来发挥。如果政府启动某一工程,在行政管理水平上,我们建议让一个国家部门独立对整个的开发工作负责。这就意味着,这个部门应当有处理财政预算的能力,并在一定的水平上有推动这项工程的能力。我们建议,在这个部门内建立一个特殊的开发权力部门,通过这个权力部门使所有的学科和部门内人员都参与到开发中,这样一个权力部门的任务涵盖如下内容:

(1)可行性研究、设计和文件的规划和准备。

(2)承包商、顾问、金融家和用户活动的监督和合同签订。

(3)所有各协调部门的责任。

(4)土地的租赁和出售。

开发权力部门应当对组织和年预算负责。这个预算是由国家部门批准和监督的,这意味着一个立法的框架。在这个框架内,任务、责任、权利、义务和活动评价措施都要制定。由于土地开发工程需要与许多团体和组织进行协商,我们也建议要形成这些咨询的几个步骤。当私有公司、组织执行土地开发任务时,在开发初期,这些公司、组织要与各级政府就各类相关问题达成协议是很重要的。如果这些协议没有达成,公司或组织会遇到很多问题,因为政府存在复杂的决策过程导致工程的延迟,甚至导致政策的改变。

2.9.2.4 物理设施的设计与安装

技术工作通常意味着许多联合性工作,例如水管理设施的内容:运输设施(道路、水路),土地的改良,土地密实措施,楼房与其他结构的建设和设施的安装等。物理设施的安装可以通过不同的方式进行。基本上来说,可以在大规模的整体开发和小规模的渐进开发中进行选择。在第一种选择中,投资较高,年费用也高。因此,在初始阶段,复杂因素特别多;在第二种选择中,投资一般较低,投资的分配也扩展到很长的时期,无效风险和失败的因素是有限的。实际上,开发的真正过程是介于这两种方法之间。在起初的讨论中,研究所需的地图和报告应当及时准备。报告和地图的正常制作是所有有效地组织土地开发活动的一个特征。在研究的关键阶段,这些因素作为主要政策的基础是必要的。为了在最终报告和地图制作以前讨论和修订更加容易,通常要制作中间报告。在印度尼西亚的潮汐低地开发中(实际上这个开发已经在 30 年前完成),报告的形成过程是一个很好的例证。长期的策略建立在几个国家的开发目标上,即稠密的岛上居民的安置、粮食生产的增加等。第一步是潮汐低地的开垦,这种开垦是通过明渠排水系统的建设进行的。在这个开垦阶段投资少,开发技术和开发途径简单。这一步的开发活动目的在于获得短期的开发效果。在接下来的开发步骤中,几个干预性的工作需要完成,这些工作是建立在较高的资金投入和更复杂的技术水平上的。当前一个开发步骤达到了它最经济的开发目标时,下一个开发步骤就开始了。这些开发工作最终的目标是获取低地或圩区最大的社会经济效益。大规模开发的好处是降低了起始的开发成本。在给定的预算资金范围内,较大的开发面积,在客观环境中的渐变会持续较长的时间,因为适应不同的环境的居民和大的灵活措施已在原开发计划中提出。表2.10展示了关于水力基础设施和土地利用各阶段的特征。

起始阶段的水管理系统是建立在通过潮汐运动的重力排水基础上的,这种排水从河口一直演进到开发区域。在这个阶段,农民每年一般种植一季水稻,农田的大小一般在 $1.75\sim2.25hm^2$,这样足以满足农民生产维持生计的粮食。

2.9.2.5 未来用户的确定

在未来用户的确定中,各类战略步骤也必须遵循。这主要取决于政府的政策和工程目标,起作用的方面是:

(1)重点集中在贫穷的农民和相对富裕的农民上。

(2)自由的定居或进行一些选择形式。

(3)出售或租赁土地。

新机构的建立,在新的开发区域中一般没有建立。为了提高新开发区域的吸引力,防止太长的搁置时间,尽早建立所需要的机构是相当重要的。

表 2.10	水力基础设施和土地利用各阶段的特征
阶　段	特　征
初始阶段	开放的未受控制的排水系统； 靠雨水灌溉的农业； 每年一种粮食作物； 留存的农业； 主要的船只运输
中间阶段	半封闭的排水系统； 基于粮食和防止盐水的半控制性水管理； 在酸性土壤情况下淡水冲洗； 通过地表或地下水控制进行的水土保持； 主要靠雨水灌溉农业； 每年多于一种的作物种植； 中间的经济土地耕作； 农艺处理过程的工业； 内部道路系统； 跨区域运输
最后阶段	全部控制水管理系统； 多元的作物种植和农业一体化； 商业性农业； 可持续的经济增长； 工业发展； 道路设施的最终建成

2.9.2.6　开发阶段

正常的开发阶段有如下几个步骤：

(1)项目的确定。

(2)前期的可行性研究。

(3)可行性研究。

(4)设计。

(5)建设。

(6)运行、维护与管理。

(7)现代化建设。

在不同的阶段,研究的不同类型和信息的不同细节以及规划和设计都是必要的。在准备阶段,必须考虑到服务的标准和负效应,只有这样系统才能建立,也只有这样系统才能得以运行、维护和管理。

在开发初期,项目的前期调查通常需要三种研究类型:

(1)勘测水平(预先的可行性),所提工程的可行性确定过程。首先,在技术上是可行的;同时,在经济上和环境上也是可行的。

(2)半细节化(可行性),额外的活动来完成主要的计划或几个可选择性计划。这种计划是建立在权力部门做出决定的基础上。

(3)详细标准(设计),设计和文件的准备。

随着社会的不断变化,工程必须以灵活的方式设计,因为许多年以后会有现代化的更新。

2.9.2.7 从工程的确定到工程的实施

在水土开发的初期阶段,调查和土地评估研究会显示出土地开发的适宜性和土地改良的可能性。随着调查进一步的开展,可以将工程确定下来,开发计划也开始执行。私有的工程可以优先安排。安排的工程应当规划得更细致,每一项工程计划要进行提炼和细化。在农业开发工程中,所提到的作物、开发方式、耕作活动、资金的投入和土地的改良要进行很好的调整,直到一个令人满意的计划产生。在城市开发工程中,新城镇的布局或城市的设计要逐渐细致。这些布局要和经济的可行性和周围的区域相互协调。在决定一项工程计划是否满意时,可以使用各种评价原则。实际上,除了社会目标和政治目标是经常考虑的重点外,一个满意的计划必须让农民、城市居民和社区经济条件改善。换而言之,这种计划应当会带来最大可行的利益增长。这样一个计划一般会利用有限的水土资源或资金获取最大的生产效益。一个满意的计划也是可操作的并在实际的土地条件下能够实现的。

在规划阶段和工程的设计、实施和监测中,土地的评价报告和地图仍然很有用。工程的详细设计取决于可行性研究所搜集的信息。在工程的实施和后期管理中,可行性研究可以为物理、社会和经济条件的变化检测提供基础。为了应对这种变化,建议对计划进行不定时的修改。

2.9.2.8 集中调查的标准

水土资源的研究和土地开发建议的产生可以在国家标准上提出,也可以在流域或水文气象标准上进行。在不同标准上所从事的研究类型在表 2.11 中已列出。

表 2.11　　　　　　　　　　集中调查标准

标准	研究类型	调查类型
国家、流域	工程确定	勘测
工程	前期可行性与实施可行性	半细化、细化

国家级或流域级标准的工程确定会带来可行性或前期可行性研究的需求。水管理系统和初步设计研究应遵循研究的标准,不同的调查范围应服务于这些研究。在农村利用勘测标准调查灌溉或排水的需求;在城区,对于水管理系统的类型在此阶段会产生第一个设计概念。在半细化的水平上,估计成本是需要的,因为农村和城市水管理系统的评价是必须进行的;在细化的水平上,建立了开发的最终规划。

依据国家标准,为了水土开发的指导性规划,包括按照各自地区或区域进行的优先级评价,必须进行调查。在私有化的流域或水文地质流域,调查为水资源开发、不同用途的水土资源规划的控制提供了基础(例如流域的保护、洪水地带、灌溉的潜在的开发区域、三角洲地区开发、沼泽和潮汐地带)。在预测的水平上,为了农村和城市排水、灌溉和防洪的投资必须制定开发规划。如果勘测调查的比例尺小,例如 1:100 000 到 1:250 000,那么对于广泛的调查、开发区域的确定和为研究提供详细的资料是非常有用的。制图单元通常是混合的并提供了各类土地的条件的估计比例,在这个阶段广泛的经济研究显示了生产和收入的水平。

对于灌溉排水所需要的信息和水土开发所需要的信息是相同的,主要指地理、地形和土壤地图,气候和农业及城市的数据。勘测研究的主要目标是确定工程的可行性,首先是技术方面,也有关于社会经济和环境方面的目标。在这个水平上进行的研究主要建立在现有信息基础上,也包含农田信息。必要的地图和数据主要是指:

(1)航空图片。

(2)具有地理、地形、基础设施、评价、土地使用和土地所有权的地图。

(3)关于人口、土壤、地表和地下水、气候和农业系统的数据。

(4)作物产量、盐度和碱度。在这个水平上,必须对开发区域所考虑到的因素进行描述,因为大面积和次要单元必须确定。

(5)农村开发半细化的调查在预先的可行性研究与可行性研究阶段的比例从 1:25 000 到 1:50 000。对于城市开发,比例在1:5 000到1:10 000。这个阶段包含了额外的活动,该活动需要完成各类通过勘测获得的计划,它形成了工程的评价过程。在可行性研究基础上,强有力的权力部门最终挑选规划并决定是否贯彻实施。规划的数据与勘测的水平相同,但需要更进一步细化。因此,土地调查是必要的。所需要的土地开发工作可以选择一个小的面积作为整个面积(参照面积)的代表,比如选择 1 000hm^2。详细的调查结果是由工程一定的设计要素和一系列数量以及设计文件构成的。详细的调查需要土壤和地形资料。在比例 1:10 000到1:25 000上,土壤调查作为主要的地图制作依据。对工程规划实施和村庄与流域调查是非常有用的,这些规划内容包括农田布局和水管理系统。如果地形在土地描绘中具有重要的作用,那么一个更大密度的调查(例如比例为 1:5 000)对于土地平整和工程应用是需要的。在农村地区,依照比例 1:5 000 或稍大的比例进行非常详细的调查是必要的。在这里,为了决定斜坡等级、灌溉渠道的走向、渠道的变化和结构的形式,小等高线的间隔必须绘制清楚。在城市区域,比例从 1:2 000 到 1:5 000 的调查对于几个项目都是需要的,例如地形图、深度图和地基层的承载能力图等。

2.9.2.9　社会经济需求

在农村地区开发的需要一般是由粮食生产的增加和其他需要决定的。在投资和期望值之间存在着一个直接的联系,因为经济规则只是土地开发评价规则。这经常导致负面的效果,在经济时间的尺度上,这样的土地开发项目显示了较低的经济可行性,也总是很难说服决策者,让他们去考虑长期的效果。这些开发活动已经证明是非常可行的,他们也总是对新土地的开发奉献出自己的力量。

现在,应将更多的注意力转移到土地的开发上,例如城市和工业区域开发、新的娱乐项目的开发和自然保护等,而不是只注意到农业土地的使用。据观察,评价活动不再受到经济条件的限制,而且更多的注意力已经转移到非农业方面的开发。土地开发项目的大规模实施有巨大的社会经济效果。为了获得最有效的结果,并避免或缩小负面的影响效果,在整个开发过程中都要进行社会经济分析。在分析过程中决定土地开发工程成功率的因素是:

(1)土地开发经验。

(2)开发机制。

(3)技术知识、技能和水管理系统运行与维护的经验。

(4)雇主和雇员的使用条件和惯例。

(5)工资标准和工资结构。

(6)有技能的或没有技能的人工操作者的时间使用类型。

在错误评价或忽视评价情况下,这些因素对成本、历时和土地开发项目的成功的影响非常严重。如果地方经验对手工操作或对传统的设备操作有限制,那么在制定建设时间计划时,计划者应当考虑到这些现实问题。按照传统的方法,土地的开发会产生一小部分的耕地面积。如果需要大面积的农业耕作土地,会需要较长的开发时间。高效开发机制带来的开发方法会需要大面积的开发土地。但是,这样的开发途径与地方人口的利益发生冲突,因为大量的手工操作者在这种情况下会被解雇。这样的土地开发项目包含了大量的实践活动。这些开发的活动与两个社会利益相互协调,例如操作的步骤和机制水平等。对于这种利益冲突的解决方法,可以在各类劳动力的分配形式中得到答案。这些解决途径与复杂工作的现代化建设有关,同时也与建设的各个细节有关。从技术的角度看,这个方法会取得巨大的成就。但是,人们必须考虑到,通过这种方法一个社会可以接受的平衡可以在建设时间和就业机会中建立起来。最终,是否决定进行建设,或如果建设工人在多大程度上需要参与这些活动,都是要考虑的内容。在这个建设时期,建设的时间应与人类的其他活动相符合,例如作物的种植和收获、居民区建设等。

2.9.2.10　环境考虑因素

过去,生态资料只是用于水土资源的开发计划,这样会导致不可预见的后果。目前,生态数据正更多地利用在水土开发工程的决策上。在成本效益分析中,生态数据不能很轻易地被引用。因为湿地的功能有直接的经济输出价值,这些价值可以通过计算获得,但是以前在其他方面这种方式没有进行量化。为了解决这个问题,人们研究了以下几个步骤:

(1)主要产品的比较。

(2)环境的影响研究。

(3)工程的影子成本的计算。

(4)多项原则分析。

2.9.2.11 迁徙措施

1)在开发地区湿地的部分内容

土地开发的生态影响不仅局限于开发区内,而且对于依靠开发区的湿地寿命也有许多现实的意义。例如,如果开发工作发生在红树林林区或含盐的沼泽区,这些地区为昆虫、甲壳纲类、鱼类和野禽等提供主要的有机食物、保护范围和喂养与繁殖的水域。详细地考察是很重要的,这样可以确保自然沼泽和红树林林区能保留足够的范围作为地方食物链的基础。因此,人们应当试图更多地考虑到各类影响因素并节约出产生尽可能多的生态价值的湿地。然而,制定这些原则是非常困难的,这些原则是选择开发区(最小化影响、数量和生态情况)和制定开发指导原则所必需的。

2)开发区中的新属性

可以开发新的自然居住区来替代被开发地区。在这种情况下,如果所需要的措施经济可行,应当适当地将注意力转移到开发计划的制定。通过这种方式,这些措施将从技术上得到有效实施。

3)开发区的景观建设

只有当新创造的环境对未来的居民有吸引力时,土地开发工程才算成功。包含在其他措施中的这种开发途径,景观建设值得引起很大注意,一般需要政府的投入。建立在景观建设基础上,必须尽早种植树木,以免造成景观的不协调和荒芜。

2.10 农村和城区的自然规划

自然规划是指自然、社会、生态整合在一起形成的可持续环境发展理论。区域开发决定了未来的几十年居民的生活条件。因此,自然规划必须以这种方式实施,即开发为居住环境的地区必须局限在农村地区,居民可以按照计划进行耕作,而在城市区域,居民可以出租房或买房,这样在城市里小型的工业就开始了。对于要改进的农村地区,这意味着农民应当对未来充满信心。在自然规划中,不同的规划水平要加以区别,例如国家计划、地区计划和城镇计划等。此外,下面的规划阶段也同样要加以区别:

(1)建议。

(2)组织咨询。

(3)公共咨询。

(4)决策。

每一个计划水平需要详细的设计细节和足够的信息以及在决策阶段步骤的设立,这些方面将进行进一步讨论。应当特别注意每个计划标准的构成要素和计划标准之间的相互作用。

2.10.1 面积规模和时间规模

在每一个水土开发工程项目中,面积规模和时间规模要加以区别,这些规模或比例要看做是工程最基本的单元。因为每一个不同的方面是很重要的,并且不同的决策类型在开发过程中必须采纳。各开发阶段要注意的是:

(1)农村地区要素:①农田;②系统;③地方;④地区;⑤国家;⑥世界。

(2)城市区域:①平房或楼房;②广场;③地方;④地区;⑤国

家;⑥世界。

(3)时间:①一季;②一年;③某要素的寿命时间;④一代;
⑤世纪。

2.10.1.1　面积规模

当我们对农村开发区域进行比较详细的调查时,下面的几个项目在区域规模上应当作为重点考虑。

1)基本要素

一个区域布局的基本要素包括:

(1)水稻。

(2)干旱作物。

(3)高秆作物。

2)其他的影响因素

其他的影响因素包括:

(1)土壤类型。

(2)黏土、泥炭和沙子。

(3)农田灌溉系统,流域、农沟、喷灌和滴灌等。

(4)农田排水系统,地表或地下排水、单一或组合式排水、土地的耕作和土壤改良。

(5)农田的大小,私有化耕作、小股权持有者、合作机制、国家农场或其他地产。

(6)灵活性。

3)最佳土地面积的确定

农村开发工程的经济可持续性必须通过对农业开发潜力与城市创造潜力的比较进行充分的考虑。这就是说,农业开发时必须遵从这样的方式,即农民在与工业或商业对等开发中至少能够获得一项收入。

关于未来的开发,一般来说存在着从农业化转向城市化、大规模农业、特殊作物种植或部分农业种植的趋势。工程的布局必须遵循这样的方式,即农民能够很容易地适应大面积的开发方式。

在确定农田大小时,下面各因素会起作用:

(1)农田的尺度,如长度、宽度和面积。

(2)建设成本:①灌溉;②排水;③水力控制结构;④道路;⑤运行维护成本,即农业开发的运行维护。

如果我们看一下系统的规模,我们会观察到在开发中有些因素会产生巨大影响。一个工程设计者在一定的边界条件下能自由地确定最佳的设计效果及良好的分析设计。然而,在现实开发设计的例子中,设计者必须把注意力集中在如下的几个方面,即历史情况、社会情况和土地特征。在地方开发区设计中,应把重点放在以下几个方面:

(1)市政的影响。

(2)土地使用规划。

(3)居住类型,靠近农田或集中居住。

地区规模开发一般基于总开发规划或整体的开发规划。在国家级开发中,我们必须注意如下几个方面:

(1)国家的开发计划。

(2)强项或弱项工程。

(3)自然条件。

最后,在农村开发区的开发清单中,我们的开发范围会覆盖全球。一般来说,在工程开发中,这个规模没有得到应有的注意,但是这个开发对国家级开发有很大的影响。尽管世界人口在大范围内增加,但是粮食生产的增加也值得注意。在对付这些方面时,也应当考虑到环境方面的因素。对于城市区域的开发,当我们进行细致调查时,每个项目的标准要考虑到。

对于主要居住条件的平房或楼房,我们要确定建筑土地的面积大小和房子类型,目的在于获得最佳的建设效果用于未来用户的出售或租赁。建筑面积是要考虑的准则之一,而且是非常重要的一个因素,因为它决定了房子的分布密度,如每公顷要安排多少建筑面积,这对于一个城市开发项目来说具有很大影响。在广场的开发中,为了创造具有逻辑比例的单元,房子或楼房起着作用。例如,某一商店的类型需要一定数量的客户,在一定的居民基础上,需要一所学校、一个诊所或一个医院,这些方面在广场设计时一般会得到解决。在地方开发中,早期的开发首要确定的是为什么将要开发的区域会吸引人们到这里居住,以及其他居住条件,如公共交通的有效性、道路的可行性和经济活动等。

在地区开发标准上,开发者必须特别考虑交通问题。这个问题是从新的开发区域中衍生出来的,并且要确定在市内交通中采用什么样的交通工具。

在国家开发标准上,国家的居民安置措施和政策起着重要作用。在全球开发标准上,尽管不存在一定的开发规划,但是开发者应当注意在沿海地区和三角洲地区开发中,有一种城市化或工业化的开发趋势。有人甚至预测,到2025年大约有70%的世界人口居住在沿海地区或三角洲地区。

2.10.1.2　时间规模

关于时间规模,当我们进行详细调查时,下面的项目作为重要因素应当考虑到。就开发工程来说,最小的规模是由一个季节创造的。如果我们看一下一年的规模,在一年内不同部分的系统需求是重要的。在这方面,如一个区域的易接近性和区域功能必须通过水管理系统来完成。

在干旱和湿润季节需水量存在着一个明显的差别。工程中的每一个要素都有一定的寿命,寿命结束后,各部件要进行更新或替换。更具体地说,这主要涉及到以下几方面。

1)灌溉排水

(1)水道的定期维修、周期维修、替换和突发情况下的紧急维护。

(2)抽水泵站的运行、维护、改装、替换和突发情况下的紧急维护。

2)道路

定期维修、周期维修、替换和突发情况下的紧急维护。

水土开发工程一般对用户的生活条件产生巨大的影响。这就是说,居民不得不接受并学会适应这种开发结果,以便改进自己的生活条件。这里,一个较长期的过程还要持续。第一代必须熟悉开发的结果,而下一代要习惯于新的生存条件。这个规模意味着,逐渐改善与迅速改善相比较有一个较好的总体结果。在时间规模上,最后一步涉及到"世纪规模",必须考虑到长期的发展远景,例如人口增长、海平面的升高和环境的可持续性。

2.10.1.3　未来变化和发展

在农业耕作区的工程开发主要集中在:

(1)现有条件的修改。

(2)生产潜力的合理化。

(3)区域的多样化。

首先这需要现有条件的目录和内容,以便决定导致高效改进措施的类型。这将不必引起物理设施的改进,例如它也是市场系统或区域安全的改进。建立在这些目录基础上,不同的相关方面和它们的改善范围都需要研究。在最佳的开发活动下,就可以做出决策。

2.11　GIS与计算机模型在灌区管理中的应用

2.11.1　GIS简介

在20世纪80年代,在计算机硬件、特别在处理速度和数据存储方面发展极快,同时也促进了计算机软件在处理空间数据的发展。地理图像组合显示能力在计算机发展中起着重要作用。在这个时期技术变化最重要的产品之一就是地理信息系统,即 GIS。GIS 对各个领域都产生了广泛影响,例如它可以利用在地理信息搜集、资源管理、土地使用规划、运输及其他地质科学的勘探中。那么什么是 GIS? GIS 是空间数据计算机管理系统。地理这个词是说数据资源的位置是已知的,并且可以按照地理坐标(经度和纬度交叉点)计算得到。尽管一些特殊的利益系统有三维获取能力并能够代表诸如矿藏和地理规划等目标,但是大部分 GIS 数据在两个空间纬度上要受到限制。信息这个词的意思是 GIS 数据可以通过计算机整合成有用的知识,通常制作成彩色地图或图像,但也可以制作成统计表格及各类影像显示在屏幕上。系统这个词指 GIS 是由几个相互作用和联系的不同功能部件构成的。这样,GIS 就有数据捕获能力、输入、运算、转化、可视化、联合、质疑、分析、建模和输出能力。地理信息系统(GIS)可以制作地图。传统意义上的地图要人工花费很多时间和精力进行字符的处理,而现在借助 GIS 既轻松又准确而且打印方便。GIS 是一个基于计算机获取并处理空间数据分布的数据处理系统。按照 1993 年艾斯德曼的说法,GIS 是一个计算机辅助系统,该系统可以进行数据获取、储存、分析和地理数据展示(地形、气候特征、土地使用规划、土壤类型、水管理地带等)。该系统的核心是数据库,该数据库是地图和相关信息以数字形式的集合方式。数据库涉及到地球表面特征,两个主要的元素应当进行区别,即每个点的特征和坐标。GIS 是由一些计算机程序包构成的,并具有用户界面,以便用户获取特殊的需要。GIS 是计算机工具,它的作用在于绘制地图、数字成像、地理代码数据项目的制表,例如土壤调查的结果处理等。GIS 从不同的数据源采集空间数据,然后整合到一个数据库里面,它通常使用各类数字结构,并从空间角度表达一系列数据层的各种现象。所有这些数据都进行了空间登记,这就是说它们在各个地点进行了正确叠加。

在地理科学系统中,GIS正在满足空间数据迅速增长的用户需求。许多空间数据正在由政府的管理处、私有公司和其他大学的研究者制作。如果没有数据管理系统,这些数据不会被有效地使用并会导致资源的浪费。GIS在许多应用领域已经产生了巨大影响。因为,它允许进行私有层空间数据的操作和分析。GIS为各用户层之间的相互关系提供了分析和模型制作的工具。用户和规划者应当对所有已经搜集到的空间数据之间的关系有整体的了解,而且计算机包容了大量的描述性数据(非地理数据),包括数字成像,这些数据要储存在有关的数据库中用以咨询和分析。因此,不需要人工阅读、解释和分析地图,GIS技术能够利用计算机执行空间数据的逻辑分析(地形、土地利用、排水系统等),这些数据与数字描绘性数据连接在一起,共同执行这些功能。有了地图,空间数据和描绘性数据对于创建智能数据以完成自动或半自动的计算机处理过程是关键的。在20世纪80年代后期,GIS广泛地应用于商业领域,大部分利用多样性空间数据的规划者只是在表格上进行数据处理。规划者主要利用计算机的操作系统和当地开发的一些软件进行工作。

GIS技术仍然处于发展初期,一些专家也正在开发它的应用技术。但是,GIS在急剧地改变地理工作环境方面具有很大的潜力。在未来的几年,个人计算机可以取消打字员和办公室内的手工计算者,GIS很可能替代人工操作。像其他计算机领域的应用一样,GIS在让用户摆脱技术的缓慢和烦琐的人工操作上产生巨大的替代效应,并提高了数据分析、建立模型和数据解释的能力。

2.11.2 GIS 的目的

GIS 的最终目的是提供基于空间数据的决策支持系统。规划者和设计者将数据以潜在的地图形式集合起来，以决定未来的发展。有时，使用 GIS 的目的是进行一般的科学研究。在本节中，我们将给出一个例子和练习，给的例子是关于潮汐低地地区农业开发的可持续性分析情况。通过下面空间数据的实践中的一个或多个，GIS 可以达到主要的目标。这些实践项目是数据的组织、可视化、空间质疑、联合、分析和预测。

2.11.2.1 数据的组织

为了一个特殊目的搜集大量数据的人知道数据组织的重要性。数据可以以多种形式进行布置。除非组织计划适应于应用，否则有用的信息不能够很容易地获得。计算机和 GIS 不能直接应用于真实的世界。因此，真实世界的现象必须以符号形式来表征。代表任何地球表面特征的抽象过程以计算机方式涉及到符号模型的使用，组织 GIS 数据的主要特征是空间位置。如果不知道样本或搜集数据的位置，那么空间类型和其他空间数据的关系将不能建立。

2.11.2.2 可视化

计算机的成像能力可以通过 GIS 的可视化进行开发。可视化展示通过使用视频监视器进行正常的处理。但是，其他输出设备，例如彩色打印机，用于硬拷贝的展示。人类在理解复杂的空间数据关系上有着特殊的能力。但是，当制作成一定数量的表格时，同样的信息会呈现出很大差异。可视化在 GIS 中用颜色和符号来实现。

2.11.2.3 空间质疑

可视化可以显示数据项目搜集中的空间类型。但是，可视化在回答数据的特殊问题时，例如特殊数据项目的价值等，并没有太大的帮助。空间质疑是数据可视化的补充性实践。

2.11.2.4　连接性

　　从对不同的数据资源进行数据整合的能力和对空间现象的理解来说,当单独考虑私有空间数据类型时是很难看清楚的。例如,通过在土壤类型地图上添加地形标志,那些适应于特殊农业开发的面积会变得很清晰。GIS真正强有力的特征之一是将几个地图代数特征连接到一起形成更复杂的运算法则。几个数据的表格和影像可以以单一的处理步骤结合在一起。

2.11.3　利用GIS进行分析和建模

　　建立模型并进行分析是从数据中进行推导的过程。这个过程在GIS中经常以可视化进行,这点如前所述。通过测量、统计计算、调试模型和其他操作也可以进行建模与分析。在GIS意义上,空间模型与分析仅仅意味着空间数据分析。例如,两个地图的横断面的制表计算会得出关于两个地图关系的有用结论。

2.11.3.1　预测

　　GIS研究的目的经常用于预测。例如,作为新的地图或影像,一些数据层考虑用于土地可持续利用的分析。这样的地图可以作为土地规划决策的基础。如这个地区适合于农业开发吗? 要规划的农业类型是什么? GIS的预测包含了地图数据运算的利用,以决定符号模型,这种模型体现了数据层结合的规则。

2.11.3.2　数据库管理系统

　　GIS另一个相关的主要概念是数据库管理系统(DBMS)。DBMS是处理各种数据的计算机系统。数据库是各类相关数据的集合,这个集合需要经常去维护和使用。一个DBMS也是一个软件的集合,用于存储、编辑和重新获得数据。数据库管理系统处于GIS的核心位置,并且许多商业GIS很明确地与特别的数据库管理系统连接在一起。工程师搜集的许多数据作为文本和数据表格存储起来。当每个地点的位置被一组空间坐标记录时,这样的表格包含了对 GIS 最重要的输入之一。数据库是计算机内大量数据的集合,这些集合组织起来以便数据能够扩展、升级和迅速获得。GIS 数据库是由一系列空间和描绘性数据构成的,这些数据由计算机软件进行管理。空间数据是地理特征的数字化反映,这种反映既可以反映地表情况和地上情况,也可以反映地下情况,这些数据用来在计算机屏幕上产生地图或显示地图式影像。空间数据包括地理参照坐标,以便展示相关的内容,描绘性数据可以描绘数据特征、特点、质量和地理特征的关系,并包含了扫描图像,例如房子、桥梁和其他特征的数字化图片。建立模型可以用于支持和扩展 GIS 数据分析。GIS 以新的方式为复杂的空间问题的评价和分析提供了基础性的工具。例如,水力工程或流域侵蚀(泥沙沉积)模型描绘了斜坡、土壤类型、植被覆盖和流域土地使用的关系。水管理地带的模型描绘了水力地形条件、土壤类型和水管理需求的关系。排水和防洪模型描绘了系统的水力运行情况和人类对环境干预情况。

今天的 GIS 发展趋势直接受到两个主要的驱动力影响,即:

(1)计算机技术的不断进步,推动着 GIS 的开发向着不同的整合方面发展。

(2)空间分布数据管理的日益增长和通过空间模型技术解决复杂自然资源问题的需求。

GIS 正迅速发展为自然资源管理的标准工具,包括水资源的管理。GIS 通常帮助决策者演示各类可选择性的开发规划,这种开发规划以真实的位置复现在屏幕上,且 GIS 有对各类开发情况建立潜在结果模型的能力。图 2.12 为自然资源开发规划过程中的建模与 GIS。

2.11.3.3 其他软件

为完成特殊的任务,要利用 GIS 相关的其他程序如电子数据

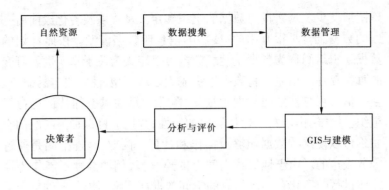

图2.12　自然资源开发规划过程中的建模与GIS

表、统计程序,这些程序一般用于多元分析和专家系统。

2.11.3.4　空间数据模型

　　模型是真实的再现,真正的世界是极其复杂的。模型的组成部分是空间物体,是一个大约近似的真实世界的空间实体。它们通过图形符号表达在地图上,理解符号的关键是地图上记录的图例。另一方面,包含一个数字化表达式的计算机文件也是一个同一世界的符号模型,这个文件也进一步从抽象的图形符号转化到了数字代码。数字化资料交流关键是数字集合本身的实质部分。空间数字集合的价值不只是利用软件理解数字格式,除非数据的组织和测量规则能够清晰地建立起来,否则数据利用是有限的。人们期望数据的私有化或产生这些数据的组织机构也能够利用这些数据。

　　含有评价规则格子的数字化计算机文件最简洁的例子通常叫数字化评估模型(DEM)。这种模型可以与地形图相比较。数字化评估模型也是一个符号模型,它反映了真实的圆形界面。格子的孔眼是空间物体,物体的价值通过数据文件的符号化表达。在这个情况下,数据定义和数据组织所需要的干预比其他任何的地理图形要少。真实世界数据的组织和定义过程以及转化成前后一致的数据集合是很有用的,展示的信息叫数据模型。按照计划的数据逻辑组织称为数据模型。数据可以定义为关于真实世界可变的真实存在。信息是将数据组织成为显示模型,使之更容易研究。空间信息很难从空间数据中抽取,除非数据通过空间特征进行了组织。同样,由于数字化计算机的属性,数据项目识别为离散的空间物体以便这些数据能够被操作和计算。因此,地理空间是通过分散表达的。由于地域在空间上的连续性,例如温度不能作为连续体进行数字化存储。所有的空间数据模型都利用分散的空间数据,如点、线、多边形、体积和表面等。空间物体可以通过特征来表达,这些特征有空间的和非空间的,且物体的数字化描述和它们的特征包含了空间数据集合。空间数据可以以不同的方式进行组织,这取决于数据搜集的方式和储存的方式。加载的数据解释和存放的目也是数据组织的重要形式。

2.11.3.5 空间物体

真实世界展现的是空间既连续又不连续的特性,例如温度、固体物质、流体或气体。这样,从一个地方到另一个地方所测的重力是一个可变值,但是许多土壤类型都是不连续的。在真实的世界中离散的空间实体发生的地方,它们可以看做是自然的空间物体,一般这些物体都是有规则的,以数据模型的方式存在。对于变量,实际上空间必须划分为离散物体,这些物体既存在规则的也有不规则的。样本点的格子是规则形体的集合。

2.11.4 GIS在土地适宜性与水管理中的应用

土地适宜性和水管理地带是与农业区域潜力有关的主题信息之一,它们建立在许多信息基础上。这些信息具有特殊的分布特征,是必须考虑的,例如地形(数字化评价)、水力工程、土壤、盐碱化和作物系统。通过这个信息,土地使用风险可以减少到最低程度,土地的可持续发展也可以得到提高。一旦土地适宜性和水管理地带可用,它们对决策者来说是非常有用的。从空间和时间上说,信息是动力并可以定义为信息自身的发展。利用 GIS 开发土地和管理水资源的具体情况参照图 2.13。该应用情况的主要参数是:

(1)地形(数字化评价)。

(2)可灌性与可排性(潜力)。

(3)土壤类型(泥炭或酸性土壤)。

(4)盐碱性侵蚀。

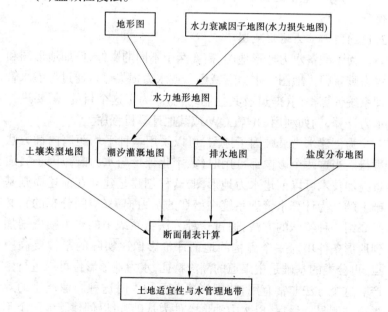

图 2.13　GIS 在土地适宜性与水管理地带的应用

与利用 GIS 系统侵蚀面积有关,应当明白数据的准确性,应当慎重考虑其变化。在这方面,所应用的主要模型是:

(1)为每一个特殊的参数创建一个肖像。这些参数会影响到土地的适宜性和水管理地带的分析,例如潮汐灌溉、排水、土壤类型和盐碱化的侵蚀。

(2)重新分级操作。它包含了现有定义的主题分类价值的分配,例如创建基于水力条件的地形图。

(3)叠加技术。该技术基于各参数之间的关系和参数之间的分析结果。

(4)图表计算。该计算基于层叠技术的结果。

(5)每个地带的面积可以通过利用面积的程序很轻易地计算得到。

2.11.4.1 水力地形地图

为了准备水力地形地图,需要两个不同的影像,例如地形图和水力衰减因子地图。水力衰减因子或水力损失可以通过考虑水管理系统计算得到(渠道及其控制结构)。为了这个目的,需要进行水力计算,例如利用 DUFLOW 或其他计算机程序。

为创建水力衰减因子地图,可以采用一种平均距离内插方法进行。当这两个影像都可用时(数字化评价与水力衰减因子),通过叠加技术可以创建水力地形图,这种创建是建立在前述原则基础上的。为计算水管理系统中潜在的水力损失(空间分布的),必须介绍一种特殊的方法,通过这种方法将系统中的水力损失增加到地形条件中。一个虚构的地面评价影像比实际的影像要高一点,再分类的基础是主渠道的潮汐特征,水力地形影像可以进行生产。这个方法非常有用,特别当覆盖面积大时这种影像产生的效果更加明显。最后,以水力地形条件为基础,可以创建其他两个不同的影像,即区域的潮汐灌溉与排水的影像。

2.11.4.2 潮汐灌溉能力

为了农业开发目的,潮汐灌溉深度可以定义为一种存在潮汐灌溉的水层。为了计算潮汐灌溉的可能性(与农业发展有关),表2.12中的准则可以使用。潮汐灌溉深度分类不只是区域水管理的驱动因素,其他因素也必须考虑,如潜在排水力、盐碱化侵蚀和土壤类型等。

表2.12 潮汐灌溉深度分类

分类	潮汐灌溉深度(m)	耕作
1	>0.25(地表以上)	不适合耕作
2	0~0.25(地表以上)	水稻
3	<0	干旱作物

2.11.4.3 潜在的排水与排水能力

为了准备排水能力影像(潜在的),需要两个不同的影像,即地形图和水力衰减因子地图。当获得这两个地图后,排水影像可以通过叠加技术创建,这种创建是基于排水分类的。排水分类的例子见表2.13。

表2.13 排水深度分类

分类	排水基础深度(m)	耕作方式
1	地表以上	不适合耕作
2	0~0.20	水稻
3	0.20~0.40	干旱作物
4	0.40~1.00	树木
5	>1.00	不适合耕作

2.11.4.4 泥炭深度

地表的泥炭深度也是决定农业开发区域的重要因素之一。在泥炭深度基础上,四个分类的定义见表2.14。

表 2.14   泥炭深度分类

类别	泥炭深度(m)	类别	泥炭深度(m)
1	<0.25	3	0.50~0.75
2	0.25~0.50	4	>0.75

2.11.4.5 酸性危害

酸性危害也是决定区域农业开发及其适宜性的决定因素。酸性危害或酸性土壤层的厚度可以定义为地表硫化铁矿的深度。这个深度建立在酸性危害基础上。四个类别的定义见表 2.15。

表 2.15   硫化铁矿的深度类别

类别	硫化铁矿的深度(m)	类别	硫化铁矿的深度(m)
1	<0.25	3	0.50~0.75
2	0.25~0.50	4	>0.75

2.11.4.6 盐碱化侵蚀

盐碱化侵蚀(在水力年中)也可以定义为决定低地土地适宜性的重要因素。该侵蚀作用是建立在与农业开发有关的盐碱化侵蚀基础上的,四个类别的定义可以见表 2.16。

表 2.16   盐碱化侵蚀分类

类别	一年中的历时	类别	一年中的历时
1	0~2 月	3	3~4 月
2	2~3 月	4	>4 月

基于这些分类和水管理各要素(表 2.17),不同作物的土地适宜性分类可以得到反映。这个土地适宜地带可以从现有的和潜在

的条件中得出。这个水管理地带可以随地区的不同而变化,它建立在水管理系统对农业开发潜力影响基础上。所有的因素都有空间特征,这使得计算总的土地适宜性更加复杂。所幸的是,有了计算机技术的发展,GIS 的使用解决了这个问题。通过运行水管理地带空间模型,可以得到潜在情况或目前情况的系统地图或影像。

表 2.17　　　　与土壤及水管理选项有关的各要素

水管理选项与推荐作物	水管理的特殊要素	土壤管理特殊要素	农田开发
湿 湿地水稻	防止停水,有毒物质 维持高水位防洪	通过拖拉机或牲畜进行耕作 干旱的周期排水和蒸发	土地平整 畦田排水
湿/干 湿地水稻	在湿季提高农田排水 有毒物质释放	湿地水稻 通过拖拉机或牲畜进行耕作	土地平整 畦田排水

这里安排一个例子,旨在提供一个结构方法来理解水管理模型的基本原理、非稳定流的管理和 GIS 在农业开发中的应用。这个例子由下列要素构成:基本的排水计算、非稳定流水管理系统模型、GIS 的水管理模型。

一个潮汐口门定义在 $160hm^2$ 的面积单元(图 2.14),利用基本的方法来计算单元的最大流量。

这里

$$Q = CIA/360$$

式中:Q 为最大流量,m^3/s;A 为服务面积,hm^2;C 为径流模数,取值 0.85;I 为降雨强度,mm/h。

排水模数是 $4L/(s \cdot hm^2)$。

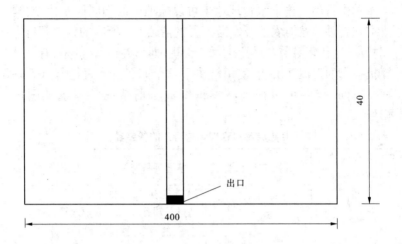

图 2.14 潮汐口门示意图(单位:m)

2.11.4.7 模型的选择

对于具体的水力工程,模型的选择类型应当与许多应解决的问题有关。选择的模型不应太复杂,例如对于渠道内水管理系统,可以利用一维模型;对于河流防洪来说,可以选择二维模型。

2.11.4.8 模型的建立

当你利用数学解决实际问题时,你所需要做的是:

(1)确定什么是重要因素并应将什么展示在模型里面。

(2)将基本的水管理系统系统化形成一维水流的分支网络。

(3)利用其他要素完成网络,如水力结构和流量,来决定渠道典型断面的尺寸,给出泥沙的特征,决定水质处理过程。

(4)为水运动、盐碱化、泥沙运输和水质管理确定边界条件。

(5)为初始计算准备条件。

(6)为输出口确定支流或分水渠道。

2.12 灌溉设计因素

2.12.1 选择灌溉方法

灌溉方法的选择应当基于技术、社会和经济条件。地表灌溉方法是最节省的方法,如果条件适当就不必选择其他方法。但是,在种植高附加值作物的地方,会有其他经济合理的灌溉类型,特别在条件不适合地表灌溉的地方。适当的灌溉方法取决于许多因素,这些因素大体上如下所述:

(1)地形和土地的备耕情况。

(2)土壤。

(3)农田的形状。

(4)作物。

(5)劳动力。

(6)水质水量。

(7)气候。

(8)运行操作。

2.12.1.1 地形

当地形起伏不平时,可以看做平整地面或斜坡以适应特殊的灌溉方法。对于一个有效的灌溉方法,土地的均匀性是重要的,坡度必须均匀,不能太陡,没有高点或低点;否则,要增加土地梯度,这对土层较深的土壤类型是经济合理的。增加土地的梯度花费很大,在某些情况下,安装喷灌设备相对较便宜一些。在选择灌溉方法时,关键的是土地的坡度。如果土地坡度平整或坡度不大于1‰,盆地区域的灌溉几乎不需要土地平整。如果地形坡度大于1‰,利用畦灌是比较好的选择。可以利用小块土地灌溉,但需要认真建造标准的梯度。在非常陡的坡度上,不必制造梯度,利用喷灌或滴灌比地表灌溉更可取。

最大的坡度取决于土壤侵蚀的风险。当地面覆盖条件好时，例如长满草或紫花苜蓿,土壤侵蚀的可能性就小。在湿热地区,允许最大坡度比干旱或半干旱地区小,因为暴雨会引起土壤侵蚀。

2.12.1.2 土壤

土壤的类型也会影响到灌溉方法的选择。具有较低含水量的土壤需要经常灌溉,这与地表灌溉方法不同。具有高渗透率的土壤会引起大量的水渗入到土壤,除非灌溉时间非常短。但是,短时灌溉会增加劳动成本,需要大量的渠道,浪费土地资源,使农业土地的耕作更加困难。土壤的不同类型使灌溉计划实施困难,特别当在农田中存在多种土壤类型时,灌溉方法的选择更加困难。如果利用地表灌溉方法,沙质土壤需要不断地灌溉,那么地表轮灌的效果就很差。喷灌和滴灌对各种土壤类型适应性较强。所有的地表灌溉都适宜于具有低等、中等渗透速度($10\sim30\text{mm/h}$)的土壤。如果渗透速度为 30mm/h 或更大,很难修建大尺寸的灌溉渠道。这样,在所有的水分吸收前,设计应遵循合理的灌溉距离,在这种情况下,最好选择喷灌或滴灌方法。

2.12.1.3 农田的形状

小块土地灌溉容易适宜于各种形状的农田。对于沟灌来说,矩形农田是最好的形状。它们的长度一样,灌溉起来容易,因为所有的畦田需要同样的尺寸和灌溉时间。

2.12.1.4 作物

作物可以分为四种类型:

(1)按纵排种植的作物。

(2)通过钻孔种植的作物。

(3)洪水期的水稻。

(4)果园。

所有的地表灌溉方法都可以用于纵排种植的作物,但是沟灌和深沟灌溉适合于淹没历时不超过 12h 的作物。密植庄稼可以在低地中种植,但不能在深沟中生长。洪水期的水稻需要平整的土地,土地能够储存水量,因此这种作物只适宜于盆地。果园可以利用各种方法灌溉,对土地的形状和坡度也没有特殊要求。

灌溉的作物类型从技术上来说对地表的选择或喷灌没有什么影响。高秆作物很难灌溉,因为管道的移动很困难。在不同的灌溉类型下,考虑到作物产量,喷灌设备制造商提到他们的设备能够比其他方法带来更大产量。

2.12.1.5　劳动力

所有的灌溉方法都需要劳动力。劳动力的成本或可用性和劳动力技能会影响到灌溉方法的选择。畦田灌溉需要的劳动力最少,沟灌和边埂灌溉需要较多的劳动力和较高的劳动技能。

2.12.1.6　水

供水的质量和成本也决定着灌溉方法。尽管有效的水流可以通过提供农业储存来增加,但在水流很小的地方,在没有灌溉条件情况下,地表灌溉仍是很好的选择方法。如果总水量很小,水必须高效使用。地表灌溉不一定总是效率高,除非设计、运行的标准高,且分布渠道成直线。喷灌和滴灌一般比地表灌溉效率高。在使用渗透设备情况下,水中泥沙的存在对喷灌和滴灌的使用有好处。这些设备通常很昂贵且使用麻烦。在地表灌溉计划中,泥沙很少引起麻烦。尽管泥沙的数量很多,而且常常淤积在渠道里抬高了地面高度,但是经过清淤处理,这些泥沙可以冲到田中,改进土壤的结构。如果有必要,在泥沙进入灌溉系统前可以将泥沙处理掉。喷灌可以用于植物叶面的灌溉。如果灌溉水中含有一些有毒物质,例如污水等,污水灌溉部分食用植物,那么喷灌必须停止使用。在有盐碱化的地方,无论在水中还是在土壤中,地表灌溉一般更可取。

2.12.1.7 气候

风速在 15～20km/h 时,喷灌就不能采用,因为小水滴被风吹跑,且应用类型受到限制,导致了较低的灌溉效率。高温和较低的湿度也会减少喷灌效率。但是,喷洒能减轻植物水压,通过降低大气水的需求增加作物生长,在灌溉期间的降雨和灌溉互为补充,这样我们推荐喷灌方法。地表灌溉后的暴雨会导致洪水泛滥。

2.12.1.8 运行

利用非地表灌溉所增加的产量对于喷灌和滴灌来说是很轻松的,这种现象不仅存在于灌溉计划中而且存在于水分布中。在第一年的运行中,许多灌溉系统都有操作困难的问题,这种困难导致了作物产量的降低。当利用喷灌多于滴灌时,这种困难可以减轻。因为喷灌和滴灌排除了成本或其他原因,问题是选择最有效的地面灌溉方法。

2.12.2 地表灌溉的设计变量

2.12.2.1 水深

供水水深对于每一种灌溉方法都是最重要的设计参数。一般来说,设计之初会给定平均深度。即使土壤水的储存在农田中不会均匀地耗费掉,水也将通过灌溉均匀地分布在农田中。大部分地表灌溉系统设计用以提高土壤水的含量并提高土壤持水力。利用水量时,设计原则也会利用水供应减少灌溉轮次和劳动力需求。在许多灌溉区域,应用额外的水量冲洗盐分是必要的。

2.12.2.2 水力变量

地表灌溉设计是一个非稳定和非均匀流的问题。主要的灌溉变量有土地坡度和糙率,这两个因素在农田中都是可变量。另一个要考虑的因素是顶部土壤侵蚀的阻力,这限制了流向农田的流量。

2.12.2.3 地形资料

地形会限制灌溉方法的类型。在具有台地的地区,规则形状和浅层土壤不适合地表灌溉。如果仍然使用地表灌溉,操作将是很复杂的,但是这种方法的效率相对低并具有非均匀的地面分布。另一方面,扁平的台地和有规则的土地以及深层土壤可以利用大范围的灌溉方法进行设计。所有这些都有较高的灌溉效率和均匀的水量分布。适合地表灌溉的地区将制作成地图,画出边界和地面高程以及土壤的深度和结构。地图将给出土地的坡度和形状,这将用于决定供应的水量。在某些情况下,具有最少信息的地图是可以满足要求的,对于其他情况,详细的地图也是需要的,如以前灌溉的土地形成的台地等。

2.12.2.4 渗透

土壤的渗透特征是主要的变量,它随着时间和空间而变化。土壤中的渗透速度是经常变化的,渗透速度的变化使有效灌溉系统的设计极其困难。

第3章 组织的管理程序

> 所谓规划就是为未来进行设计并设法为完成设计而创造条件。
>
> ——阿可夫,1981 年

有效的灌排服务的定位需要在灌溉排水组织的形式和管理内涵上进行重要的转换。管理组织必须能够制定并贯彻具有明确目标的战略规划和行动计划,并努力实现它们。这些行为的实施必须通过组织与足够的财政规划融为一体。战略规划成功的关键是对获取目标的评估能力,这些目标的提出已包含在战略规划之中。执行情况的评价被看做是一个管理过程内整体的和正在进行中的行为。人们必须研究出关键的执行显示方法,凭借此方法来测定组织的管理执行与管理规划的一致性。

3.1 灌溉排水组织

灌溉排水是一种对农业生产的支持行为。这种灌排行为可以供给农业水量以弥补自然降雨的不足,控制地表水和地下水的水位并排出农田内多余的水分。由此,这些灌溉排水行为既可以被看做为农业服务,又可以被看做管理机构本身的发展需求。管理系统的单一用户和农民经常与小规模的系统相互关联,这不是本书要讨论的重点。

在第 2 章中,管理环境和灌溉排水机构的外部工作过程已经讨论过。它表明,具有不同规则的灌排服务在执行过程中,存在着三个主要的角色,即政府(包括流域管理机构)、灌排管理机构和农民。本章讨论的重点是提供灌排服务的灌排组织机构内部的管理程序。在本书中,对灌排管理机构的一些组织类型进行了描述,这些组织类型包含了具有政府职能的管理处、私有化的管理机构和单一的水用户协会。

3.1.1　组织的定义

灌溉排水服务涉及到许多管理任务,这些任务包含了从灌区渠首工程到农田的一系列操作以及从农田和其他周围区域排水的全过程。这些灌溉服务的活动涉及地域广泛,需要有各种技能的人才参与。组织理论的研究表明,一些组织的定义界定有不同的解释。格肯(1995 年)的定义为:组织是由人们预计的设计理念构成的社会实体,这些设计理念为组织者的具体目的服务。这种定义往往会导致组织自身的终结,这是人们不愿看到的情况。1995年,德夫特将其定义为具有直接目标和具有可容许边界结构的社会实体,这个定义不同于格肯的定义,认为系统是具有容许的边界。接着,德夫特又进一步阐明了其定义的各要素。社会实体是指由人或团队构成的,并执行一定的规则,这是组织的基本架构。而且,组织是具有具体目标的,它为某一目的而存在。因此,组织可以执行一些任务,这些任务可以细分为各类的活动,从而完成整个组织的总体目标。1986 年,罗比对组织的定义更复杂,且包罗万象,并对各要素(执行的规则和组织功能)进行了提炼。他将组织定义为:一个具有共同目标的由各种组织活动的规则和一系列行为准则构成的系统。这个定义预设的条件是:

(1)一个对组织的结构进行描述的规则系统。

(2)组织过程的一系列活动。

(3)由执行者进行设计的系统。

(4)组织之所以存在是因为其有共同的目标。

所有的组织都有区别于其他组织的边界,然而为了共享信息和技术,这些边界的存在是允许的,这是存在于农业组织和灌排组织之间的一种特殊的情况。为最大限度地提高农业生产率和满足其他水用户,两者之间相互制约以共同遵从政策和管理条例是必要的。

3.1.2 灌溉排水组织的不足

从 20 世纪 50 年代到 80 年代,灌溉排水事业发展的重点是建立管理组织而不是管理的行为本身。这种情况通常导致了对灌溉权力机构的忽视,从而减少了对灌溉排水设施的投入。这导致了灌溉农业需求的匮乏,因为发展的重点通常与用户的责任感的缺乏有关。这通常会进一步使得灌溉农业的自然属性(连续的市场变化和利益纷争)与其他水资源用户相混合。这种管理类型其主要的特征是缺乏与灌溉排水目的和服务条款相联系的清晰目标。必要的预算过程和履行的义务实际上与具体服务目标的成效没有多大关系。

在大多数情况下,由于作为具体服务的提供者,灌溉排水机构对规模化的利益本质认识不清。他们盛行的观点是被动地而无生产能力地去应对客户,而不是积极主动地和具有创造性地为他们服务,这样就不能将管理信息传递给用户,以便改进服务质量,提高人力资源的生产效率,并促进服务更好地适应客户的需求。这种情形会造成这样的后果,即管理系统缺乏责任心,用户在怎样管理系统中很少有或没有发言权。这样,用户为服务付很少的费用或不付费也是有充分理由的。

另一个重要的因素是管理组织的成员部分地或根本不支持组织的服务目标。来自人力资源开发项目和低报酬服务的创业机会很少,这样通常导致工作人员工作自由散漫,没有动力。组织也会鼓励成员在组织内或组织外寻找机会通过加强服务以改善自身状况。

　　组织对于为生存而谋求发展的灌溉排水领域来水非常重要，更趋向于关心自身投入和内在运作过程而不是注重结果。经常出现这种情况的原因是，组织由国家财政提供资金支持，而缺乏旨在提供资金合理利用的商业运作机制。

3.1.3　灌排组织的定向服务

　　管理服务是非常重要的付出活动，其本质是根据既定的服务标准来满足灌溉排水客户的需求。服务的标准成为组织定义其活动和预算的重要目标。为达到灌排目的，管理组织需要制定和建立适当的管理系统和策略。管理科学对工业区域内的问题类型讨论了几十年了，尽管公共领域已成为传统意义的服务领域，但管理概念的应用只是近年来的事（澳大利亚维多利亚州政府，1986年）。公共领域内整体规划的实施蕴涵着组织实施服务方式的巨大变化。尽管政府大规模的管理系统具有复杂性和特殊性，现仍没有很明确的原因来解释第2章中讨论的管理服务原则为什么不应该公平地应用于个人和公共组织中的问题。这个过程的关键是公共组织变成消费者和被服务的对象，这需要在管理内涵与灌排组织的服务态度上有一个重要的转换。灌排组织必须能够制定并建立适当的管理系统和策略，并且贯彻具有明确目标的管理计划，这要求组织进行充分的财政规划。所有这些必将伴随着组织成员由政府管理的作用向对客户负责任的方向转移。

3.2　管理的功能

　　管理可以定义为通过规划、组织、领导和控制组织资源的有效方式获取组织目标完成组织任务（德夫特，1995年）。这些管理功能形成了管理总体过程的一部分。组织必须贯彻重要的工作思维方式,将其重点放在组织目标的分解和落实上(图 3.1)。

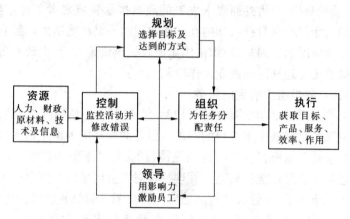

图 3.1　管理循环(德夫特,1995 年)

3.2.1　规划

规划是目标要达到的发展蓝图。有些作者辨析了各类的计划标准,这些标准具有总体增长的趋势,如操作上的、策略上的和战略上的等。这些定义规定了组织未来的发展趋向和如何实现组织的目标,这种过程被典型地称为"策略规划"或"合作规划"。带有明确发展目标或目的组织发展理念与其相关联的战略和发展规划一起进行了明晰的界定。

3.2.2　组织

组织是由计划完成管理任务的发展策略构成的。它涉及到对要完成任务的认识,即由谁完成;它还涉及到员工的管理和完成目标任务的资源分配等。

3.2.3　领导

领导涉及到向管理者提供清晰的指导原则以便维持管理计划,同时它也有重要的管理职责。领导必须对管理者进行培训以便他们能进行交流、指导和选择最合适途径确保组织中的每个人按照自己的计划行事。

3.2.4　监控

监控即监督控制活动,其有助于组织按照预定的轨道办事,修正一些背离原则的偏差,以达到组织的目的和目标。

管理循环圈的整体活动情况如图3.1所示。上面描述的管理功能形成了管理过程的一部分,这个过程把输入转换成输出,是管理功能的主要形式之一。输入是管理者尽可能以高效率的处置方式贯彻执行计划。在灌溉农业中,这个概念可以应用于两个标准:①用于农产品系统,这里水作为输入形式转换成生产过程;②组织的管理系统,这里资源用在供水过程和排水服务。输入的主要类型有人力的、财政的和技术的等,在灌溉排水情况下,还有自然资源类型的输出,例如产品和服务被定义为组织预计要提供的最终结果,其表现为目标或目的。

3.3　灌排系统管理

如前所述,灌溉排水系统必须设法使所服务的用户达到他们农业耕作的最优生产率。灌溉排水管理使得一些明显的特征更加清晰,这种特征导致了许多学者提出了不同的灌溉排水组合管理的定义。1981年罗德将灌溉管理定义为粮食和纤维生产中水的处理过程。罗德也强调,它不是集水区、大坝和蓄水水库,不是代码、法律和水分配机构,不是农民组织,也不是土壤或作物系统,而是这些技能和物理、生物、化学及社会资源。这些资源用来提高粮食产量和纤维产品。这个定义特别强调的是水管理的过程本身,而不是所涉及到的灌溉排水服务的资源管理机构。1986年莱顿从另外一个方面将灌溉管理定义为:私人为灌溉系统设立的一个水处理过程,包括建立适当的条件,定位并动员资源开发者利用资源达到管理的目标,并确保这些行为按时实施,不产生负面影响。这个定义强调了工程目标的完成,该目标为灌溉管理系统和管理因素而设立。然而,灌溉系统的目标首要是社会经济和自然因素,例如消除贫困、粮食储备等而不是一个管理的自然属性。

这些定义的一个共同特征是注重灌溉行为的作用,对于排水没有明确的参考作用。特别在潮湿炎热的地区,排水服务的提供几乎比灌溉服务还要重要,这种现象非常普遍,而且灌、排两种活动是同一组织的责任。但是,排水服务较之灌溉有其更复杂的本性。表3.1中列出了灌溉、排水服务的特性,从表中看出两者有不同的服务方式。

表 3.1　　　　　　　　　灌溉、排水服务特性的不同表现

特性	灌溉	排水
交易的本质	经济商品＋服务	服务
水的需求	需要	不需要多余的水,只需要水位控制水
用水客户的类型	单一而具体(如农业,尽管包括其他部分)	多样化,非具体(农村、城市及工业)
可预测性	可预测(可以决定)	不可预测(随机的)
水质	客户需要高质量的用水	客户需要最低质量标准的水用以清洗,并用高质量的水控制水位

尽管灌溉渠道网络日益增加,其用途也在扩展,例如城市供水和工业用水,但人们主要关心的还是其用于农业的灌溉服务。在各种情况下,水的交易既涉及到水作为经济商品的本身,也涉及到服务质量的优劣。排水不像灌溉产生经济利益,排出的水是不作为商品价值利用的。而且,排水的时效性和数量,特别是地表径流的水既不作为提供服务后排出的水,也不作为必须加以利用的水。排水的质量会受到来自灌溉或其他活动的污染物质的影响。依照环境保护规则,排水组织必须监视并强制执行排水的质量标准。

我们认为,包含灌溉排水的广泛的定义是必要的,其能反映两者截然不同的特性。在本书中,我们提出了灌溉排水的广泛定义,即灌溉排水系统管理是通过资源的分配和资金回收方式提供灌溉排水服务的过程。这个定义整合了灌溉和排水服务的两方面内容,它强调了在灌排服务中,利用各种资源的管理过程。因此,这个定义重点强调的是输入资源转化为输出资源的过程。灌排系统管理的规模和范围与灌排机构不同,然而,根据强调的重点,灌排服务的主要管理过程可以分为三个类型:水、结构和组织(1991年,这个类型由胡夫根提出,他列出的灌溉管理活动仅指主要的系统设施而不包括非农业灌溉管理活动)。表 3.2 按照分类提供了这些主要活动的概况。这些关于水的活动主要涉及到获取任务、分配水量以供应和处置多余的水。设计活动主要讨论如何执行水事功能,而注重组织的活动主要讨论灌溉排水服务活动中基础设施的建设与管理。

3.4 战略规划过程

战略规划实践的主要目的是使组织能够满足其客户的需要,并充分利用来自其环境变化的各种机会壮大组织的力量。评价管

表 3.2　　　　　　　　灌溉管理活动(胡夫根,1991 年)

A　集中于水的活动:
- 水的获取(地表水或地下水);
- 水的分配(水－用途－权利);
- 水的分布;
- 排水(汇集和处理)

B　集中于结构的活动:
- 规划与设计;
- 建设;
- 操作;
- 维修养护;
- 更新

C　集中于组织的活动:
- 决策;
- 资源运用;
- 通信与信息;
- 矛盾的解决

理处的环境是规划过程的一个关键步骤,这个过程能够使管理的战略问题通过组织在未来的发展中得到解决。这些过程成为重要的评价和审查方式之一,通过这些可选择的方式可以检验和评估行为准则的执行情况。准则本身的发展也形成了这些过程的一部分。从这些分析中获得的主要结果是战略目标、战略思想和行为的确定性,此外还可以获得参照性的一些结论,例如目标、重大转折、执行的显示和可能利用的资源等。

战略规划是一个思考和决策的过程,它不仅涉及到内部关系,而且还涉及到作为整体的组织和其他外部环境之间的关系(阿考夫,1981 年)。战略规划形成的主要过程由下列部分组成:

(1)组织目的的评价。

(2)外部环境的总量,其中组织必须完成其目前的任务,承担各种危机和挑战并承受各类限制和制约。

(3)对现实的和可以获取的并具有难度的目标或目的任务的认识。

(4)战略、程序和获取目标活动的形成。

(5)组织资源总量有其处理的方式,包括能力和弱点。

(6)从分析获得的行为规划的形成。

(7)为获取目标而进行的监督和评价成就。

总体的战略规划有助于组织在开发服务上具有更大的灵活性,因为它考虑到了要发生的过程和面对的各种冲突(框图3.1)。图3.2 向我们展示了涉及到灌排管理处整体规划的主要活动。

框图 3.1　战略规划的有利条件

- 为整体组织而设计较大的目标并进行指导;
- 通过各种构件对共同目标的实现进行努力;
- 管理处对外部的敏感性;
- 按照环境要求对战略的认同。

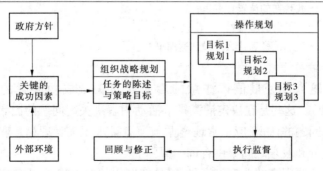

图 3.2　总体战略规划的思想框架

3.4.1 外部环境

灌溉排水组织的外部环境评价是第一位的,并且是战略规划发展中最基本的任务。它探索规划建立的途径、存在的难题和各种制约因素。环境分析可以预见未来具体的方向、指导原则和新政策的项目合作以及旧制度废止等。

在探索阶段存在着几个部分。任务包括各类管理组织存在的因素以及对过去的回顾。例如,组织的任务是什么,组织作用内的政府政策和合法运作框架是什么,管理处的历史是什么,组织应该保存什么有价值的东西及它的理想是什么,最后,管理处为了满足客户的要求并执行政府的政策,应该有什么样的发展方向和发展远景等。回答这些问题主要依赖于组织、各种制约条件和边界条件的可用性。这些是系统具体的问题,问题的焦点在于如何提供规划的目标和具体目标的建立方式。输出是灌排组织未来和当前面临问题的广泛的增加积累过程(框图3.2)。

框图3.2　战略规划的关键问题

• 我现在的位置在哪里?
• 我们要去哪里?
• 我们怎样和什么时候到达那里?

这个任务最值得注意的后果是对关键成功因素的认识(CSF)。这些是在决定灌溉排水活动中解决关键问题的因素。对这些问题的认识,应正常地遵循与灌溉排水系统管理相互联系的管理处和股东之间集中咨询的原则。

这些因素的典型例子是:可持续利用的水土管理,水管理者和灌溉者及时可靠的供水服务,灌溉财产缺失的管理等。

3.4.2 组织的目的

战略规划包含目的陈述层次,这些层次通常被描述为任务宗旨、目标目的及与组织未来的前景有关的展望等。组织中高级管理的首要任务是制定组织理想的终极目标,这称为任务陈述。它是一个简洁的陈述,其建立了组织的基本任务框架(框图 3.3)。在制定这些任务时,组织必须回答四个主要问题(古德斯顿,1993年):

(1)组织执行什么功能。

(2)组织为谁执行这个功能。

(3)组织如何充分地去完成这些功能。

(4)组织为什么存在。

框图 3.3 澳大利亚维多利亚古邦水协会的任务陈述

古邦水协会在维多利亚北部提供有效的可持续的水服务。

任务陈述的目的是提供一个对组织内、外功能清晰而又普通的理解,它描绘了一个总括的组织目的。这些目的总是和组织的各种作用结为整体。

任务陈述提供了目标的内聚性和以整体的多元的方式执行组织计划的重点。它描绘了组织想提供的服务类型和服务对象。

3.4.3 战略目标

战略计划的目标必须反映关键成功因素的特性。这些战略目标应尽可能地表述清楚,因为它们将成为管理过程的指导原则。每一个目标必须具有具体的任务和实施步骤,并提出要达到的标准和条件。时间观念是一个基本的元素,它服从于任务执行的质量和数量,人们能够看到在战略计划的实施中时间的进程以便做出相应的调整。

3.4.4　组织规划

战略整体规划过程的主要产品是提供未来蓝图的管理计划,这个蓝图是指重要目标原理的实践、年预算资金的估计等。这个计划通常包含了一些完成每一个单一目标的要素。除了这些具体的解决单一目标的发展计划外,附加的发展计划也是必要的,以支持这些计划的落实,其中包括财政计划、人力资源开发计划和信息系统计划等。总的来说,它们形成了年度预算和财政计划的基础。

战略计划过程的结果因此会成为可操作的一个计划,它由下列一套计划组成:

(1)水管理计划,讨论关于水获取的基本政策、水权和水权特性、水分配步骤、水分布概况、排水和灌溉的水质标准。

(2)财产管理计划,讨论提供灌排服务的物理设施(水流控制系统、渠道、设备和工厂等)。

(3)组织管理计划,讨论任务的分解和责任、资金的管理过程、管理信息系统和人力资源的开发。

战略规划中新的活动和服务需要有特殊技能的员工,这需要通过适当的培训项目才能达到。例如,如果改进的服务标准需要增加水流监控容量,那么操作领域内的员工的操作技巧也要相应地得到培训。人力资源的开发项目必须形成战略规划的一部分,并必须有计划地支持规划战略以达到规划的总体目标。

对于战略和操作计划的每一个要素,明确的指导方针会提供最有用的基准,以便战略指导思想的变化和进步得到监督、评价和审查。

3.4.5　执行监督

规划过程的监督和战略调整必须是动态的管理行为。项目的结构提供了监督的重点。通常,目标、指导原则和重要的进程转折在监督和报告进程的项目结构内是明确的。

监督的过程必须是有规律的、有计划的,以便准备并提供适当的信息使服务成为可能。进一步来说,规划所描绘的重要成功因素、目标和目的等,其过程都具有动态的属性。改变灌排活动的农业、经济和环境条件需要不断地总结和回顾。监督和评价过程对于总结的过程是重要的,它可以使规划者和管理者及时调整目标以便适应情况的变化。在第 7 章中将详细地讨论灌排服务的行为监控过程。

所有这些计划都需要财政资源。因此,财政计划是一个总体的和经常起决定作用的管理步骤。下一节将集中论述灌排机构财政计划的一些问题。

3.5 资金计划

从传统意义上说,灌排机构的运作在一个基础设施的基本维护的水平上,这种运作和他们提供的服务没有关系。管理处基本上不清楚他们的服务标准及其相关的费用。

因此,所提供服务的可用资金经常和适当的项目相称。在这个方法下面孕育着这样一个概念即服务标准和经常的花费标准是由投入的大小决定的,例如资金的利用和其他资源。这种投入按照预定的任务没有任何的信息和值得注意的地方,因此它使得预算过程将重点放在投入和资源的分配上。具有定向服务的灌排系统管理和运作必须找到可操作的途径,为达到这个目的,管理者需要知道可接受的服务标准是什么,成本和服务标准的意义是什么。换而言之,资源的管理必须和管理目标的定义一致(林德,1990年)。

财政规划的一个重要任务是如何弄清楚资源的多少,这对于管理行为和规划是必要的。这些规划是经过筛选的,包括资金、设施和人力资源。该过程涉及到资源的确定,这对于贯彻计划是必要的,该过程还涉及到组织年运行费用的多少。只有当资源的储量确定以后,才可以确定开发的规模。

图3.3提供了一个财政管理过程的框架。服务成本与服务标准有直接的关系,服务标准越高,基础设施必要的管理投入也越大,因此会造成较高成本的投入。在用户付全额服务费用的情况下,服务标准必须得到平衡以便造成他们通过协商一致的付费意愿。协商的结果是组织与客户之间的服务协议。

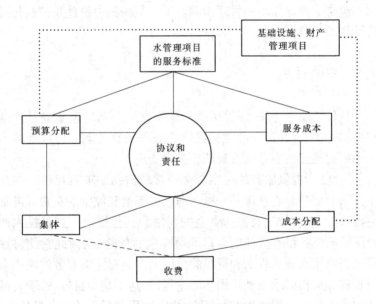

图 3.3 财政管理过程的框架图

管理处必须提供不少于一项的服务,每一项服务成本都有明晰的说明,由此管理者必须介绍资金的分配步骤。收费和服务的标准必须建立在总的服务成本基础上,同时财政补贴在各服务项目中必须建立起来。由于政府服务的垄断性,税额的决定通常与政府的制度和政策相联系。税额通常是固定的或由政府按时调整。如果这些税收不足以满足服务的成本,政府必须进行补贴才能维持服务的标准。

如果组织有财政的自主权,服务收费可以由管理处直接收取,否则收取的费用要纳入到政府的财政税收。在这种情况下,必须有明确的指导原则以确保资金再分配时,管理组织得到足够资金为灌排服务。

资金的收集通过土地或税收系统直接地或间接地与提供的服务相联系。各种活动的资金分配是财政规划的最终阶段。战略规划的主要成果是一个完整的计划,该计划包括了开发规划、财产管理、研究与调查、人力资源开发等。很显然,资源的分配和再分配只有基于反映整体规划的目的才能起作用。因为,战略规划属于动态的属性,财政规划通常导致"不断起伏的计划",这种计划可以预见 3~5 年的活动。这个过程涉及到年度的计划更新,这种更新是基于上一年度的运作情况和未来的需求分析。

因此,有效的财政规划需要有预见组织未来发展过程中任意时间财政状况的能力。财政模型在这个过程分析中是非常有效的工具。现代信息技术系统通过不同组织领域,在管理工作中整合所有的资源是非常有效的。年度预算的准备和估算是很重要的。来自规划过程的信息必须是可用的,以便资源的分配能正确地反映组织的财产状况。

预算过程本身具有几个明显的阶段,即通常指的预算周期。预算周期包括:

(1)预算评估的表达方式。

(2)审批程序。

(3)批准项目的实施和监督。

(4)完整项目的总结。

对于从项目预算获得最大利益的组织来说,它应该有一种手段,通过这种手段可以建立执行措施和监督机制。通过工作手段,成果信息和目标的获得可以通过预先的准则和任务得到评价和集中。

第 4 章 灌溉排水的服务概念

> 一个人不应谈论制度除非这种制度大部分人都知道并反映集体一致的策略,如果该制度不能获得全体成员的一致通过,则要受到他人的监督。
>
> ——奥斯德姆,1993 年

作为典型的组织形式的功能,灌排组织的基本行为准则已在第 3 章中进行了论述。本章将论述灌排组织的具体事务处理、事务处理的基本方法和基本要素及相关的组织活动,这些都是组织基本任务的内容。灌排组织所提供的服务类型是由一些物理因素和社会经济因素决定的。有四个服务标准的特征属性可以决定组织事务的服务质量,即适当性、责任性、公平性和机动性。灌排组织的服务标准是由一些具体规则和条件组成的。这些规则条件必须在适当的责任框架内,通过服务的提供者和用户之间适当的服务合同建立起来。

4.1 作为服务的灌溉与排水

许多国家的灌排管理机构在为农民供水和通过排水系统排放多余水量的系统操作过程中是值得信赖的。概括地讲,尽管管理处职能的停止和农民的责任随着国家的不同而不同,但是几乎没有一个管理处会按照农业发展的标准为管理网络运作尽自己的全部责任。忽略管理处在管理系统中的职能标准和组织的类型,客户与管理处的重要交易事务是灌溉水的供应、防洪、冗余水的排除或这些任务的组合,同时这些构成灌排组织的主要业务事项。管理处业务事项的主要表现形式是供水、防洪和排水。为了完成管理任务,管理组织依靠水利基础设施去获取、储存、输送和控制水流,并控制供水和排水的数量,也承担着防洪的重任。水利基础设施由各类财产组成,例如大坝、渠道、取水(用于控制水流的)枢纽、泵站和堤防等,这些设施组合起来可以起到控制水流的作用。

在研究灌排服务概念以前,首先对服务概念必须有个清楚的认识。1994 年,考特拉将服务定义为一个团体对另一个团体提供物质上或概念上的受益行为,这种行为是看不到的,但却产生了物主的所有权。这种服务的表现形式可以与物质产品相联系,也可以和物质产品相分离。这个定义强调的是所涉及到的活动是无形的。物质商品是管理处事务的一部分。

在灌溉服务情况下,所涉及的活动是供水;而在排水情况下,主要的活动是水的排放。这些服务与物质商品的水联结,然而必须区分商品属性和服务属性的本质。考特拉进一步分析了商品的几种类型和服务产品的区别,这些服务内容包括从有形的商品例如珠宝、家具等到无形的服务如医疗服务、精神治疗以及垃圾处理等。本章内容涉及到灌溉供水和经济商品,然而排水服务是无形的。灌排组织的产品输出的实际组成可以分为以下两大要素:

(1)主要由从水源到客户(水用户)获取、储存和输送水的服务以及汇集排水的服务构成的要素。

(2)具有输送水的有形的经济商品的服务要素。

送水服务以及与其相关的成本概念是容易理解的,而作为经济商品的水的概念则不容易解释。在制定水价时,决策者除了经常必须考虑的经济效率外,他们还要考虑到一些文化的、宗教的和社会各方面的因素。在爱尔兰都柏林水环境大会上(1992 年),国际组织断言,首先认识到所有人的基本权利,并找到人们可以承受的、合理价格的、干净而卫生的水是至关重要的。这句话的含义是水对于人的生命来说是重要的,也是人最基本的权利之一,不要仅仅由于市场的竞争而随意抬高水的价格,并调整不利于人生存权利的政策。

人们将灌溉用水看做具有经济价值的商品,水对于农业产品产量来说是重要的因素。然而,水的价值随时间和地点而变化。对农民来讲,用于灌溉以免减产的水价值是最高的。但是,对于降雨后或完成了灌溉任务的农民来说,灌溉水是没有价值的,他们可能会拒绝用水或将水直接排除掉。在排水实践中,尽管人们还要修建排水设施提供排水服务,但是排出的水通常被看做是没有任何价值的东西。通过排水,农民会得到一定的利益,因为这些从农田排出的水对于经济活动或改善生活质量没有多大用处。如果排出的水重新用于灌溉目的,管理组织会再获得一定的经济价值。将水的经济价值和服务成本转化成水价体系的决定因素,是决策者所关心的。这样的水价政策不仅包含了水价的成本,而且能满足基本的社会和家庭的要求。一旦政府通过了一项政策,它就会成为政策环境的一部分。在这个政策指导下,灌排组织必须制定灌排服务的战略规划并决定其服务特性。作为经济商品的水价对于组织供水是非常重要的,因为它经常成为总服务的重要组成部分。在没有有形的经济商品的输送服务中,排水的各要素更加突出和清晰。相反,排水组织只是对排除多余水量的服务负责任。这也应用于城市和农业区的防洪。

4.2 服务标准定义和质量

在战略规划中要解决的关键因素是提供具体服务的灌排系统管理和操作,这种服务标准必须以一套为数量运作标准的形式加以明确。这样，组织可以利用这些固定形式作为指导供水和排水的原则。以最小的成本满足这些标准成为组织任务的重要目标，因此有必要制定具体的操作规程、规则和步骤。这些具体的操作规范变成了可执行的标准，而组织的运作表现可以通过这些标准得到评估。服务标准必须在广泛协商的基础上形成，而且这种协商必须在灌排服务提供者和受益者（农民、水用户）之间达成一致意见。政府和流域机构也参与这个协商过程，但他们只是作为监督和制度的制定者参与其中。因此，服务标准的概念可以定义为由灌排组织设立的灌排系统操作标准，这种标准的设立是建立在灌溉者、政府及其他团体组织之间进行统一利益基础之上的。这个定义的意思是服务原则的制定必须包含几种利益的组合。服务规范标准必须和组织的战略规划的目标和目的一致。在第3章中讨论的过程必须包含提供服务的组织和水用户之间广泛磋商的基础。为了使组织战略目标前后一致，有一些具体的特性和质量体系必须与灌排服务的总结、贯彻和制定相联系（框图4.1）。作为制定过程的一部分，流量显示结构和任务标准被认为能够在服务的过程中经得起客户的评判和执行标准的检验。制定服务规范的机会随着时间的变化而变化，这种制定的机会只有当项目发展的战略计划存在时才有可能出现。在这里有两种情况可能会发生：①系统规划开始以前，服务的标准是具体化的并得到大家的

框图4.1　服务标准的重要质量体系

- 它必须在广泛协商的基础上形成；
- 它应成为一系列标准而不是操作行为的尺度；
- 它必须在执行过程中进行修改，以适应灌溉农业的变化；
- 它需要谨慎地考虑与具体服务标准相互关联的服务费用。

认可；②服务的标准是为现存系统进行具体化。在第一种情况下，设计者必须参照这些具体规范来决定水力控制结构适当的类型。而且，规范和适当的管理两者完美结合以满足服务的标准。否则，服务规范的标准必须按照现存的硬件设施进行研究制定。

作为服务活动,灌溉排水必须反映其支持的主要经济活动的变化属性。在农业灌溉情况下,这种属性就是农业产品,而在排水服务中它是一个变化的特征。这种活动的作用是保护农业地区、城市及工业区免受涝灾和洪灾的威胁。一个例子是基于灌溉的产稻区农民越来越多地种植其他类型的农作物,这样就可以灵活地适应灌溉水的需求。然而,高地农作物需要较好的排水服务,因为排水量在日益增加。在这种情况下,稻谷生产的服务规范不可能适应农民种植高地作物的需要。服务标准必须对这些变化做出相应的调整。而且,由于排水服务经常提供联合服务,如农业和城市区域的排水服务规范必须满足客户的安全需要。这也意味着排水服务客户和灌溉服务客户的服务规范有可能会不一样。

与既定的服务标准相联系的成本费用在与用户的磋商中是另一个要讨论的关键环节。某一服务标准与同时发生的费用之间必须建立起紧密的联系。在这个过程中,所有发生的服务费用必须清楚地列支出来,以便费用清单一目了然。这对于为不同利益集团提供服务的组织来说尤为重要,那么实际发生的每一项服务成本必须适当地开列出来。在这个阶段找到服务成本和服务标准之间的差异是很重要的,服务成本的确定是管理组织有代表性的作用。从水用户中回收成本的决策任务是政府的责任。政府经常出台明确的决定来补贴灌排服务活动,因为这些活动都是基于战略和政治原因来支持农业发展的。然而,和灌排服务相联系的成本应谨慎地加以甄别,以便补贴标准能适度地审批下来,这样做是非常重要的。

包含所有成本项目的综合分析为决定各类服务成本奠定了基础，在这里所有的财产都进行正式评估。在计算总服务成本时，这种方法使管理发生的费用包含了折旧率或财产耗费，由此必须弄清楚服务标准和实际发生费用的关系。在第 6 章中，我们将详细地论述服务成本的概念。

操作成本主要由人事、基础设施、工厂和系统操作所需要的设备组成。操作成本的相对重要性取决于流域内水流控制和为用户提供服务的水事活动。概括地说，管理处和用户之间在系统内发生较高的服务内涵，例如主要支渠满足二级支渠服务需求，需要的职员相对于系统内来说就少，因为在次要支渠发生的服务标准较低。水流自动控制的程度对操作成本也有重要影响，自动化较高的系统就需要较少的员工来完成操作任务。然而，这些系统的类型资金使用相对集中。较高的资金费用容易抵消员工减少的成本。服务成本和基础设施管理之间关系的综合讨论将在第 5 章中详细论述。

4.3 服务决定因素的标准

在自然、合法的社会经济条件下，我们要对灌排组织运作的服务规范进行详细的研究。灌排之间的不同属性需要在讨论它们的决定因素和服务规范时加以区分。

4.3.1 灌溉服务的决定因素

对于灌溉处来说，服务标准和规范的制定是一个"用户化"的过程。这个过程包含着灌溉水供给、灌溉水渗透时间、水流及频率等。在形成"用户化"边界条件和最终服务规范过程中，存在着以下几个因素：

（1）作物、土壤和气候。

(2)系统的水力控制设施。

(3)水资源。

(4)泥沙的负担。

(5)灌溉活动和农民对灌溉技能掌握的程度。

(6)水权。

(7)灌溉政策。

(8)存在竞争的水用户。

(9)环境规则。

尽管各类因素之间存在着关联和相互作用,但现有新灌溉计划服务标准所影响的同一因素也存在着差异。这个分析是基于这样一个前提,即新灌溉计划的研究要明显符合既定的规范标准。

4.3.1.1 作物-土壤-气候

作物-土壤-气候的组合决定了基本的水需求以及农业用水和经常化灌溉供水的获取形式。一个地区的气候特征决定了作物灌溉需水的程度。在干旱地区,灌溉不仅在水供应上起着关键作用,而且影响到重要的农事活动,如作物的种植日期和其他耕作事宜。

作物的类型影响作物需水、灌溉周期和不同作物经济价值服务标准方面的决定因素。作物需水量与气候因素有着函数关系,并随着不同的生长阶段而变化。根部深度与作物保水性一起决定着水应用的需求周期。作物价值和需水敏感性在供水的可靠性上起着重要作用。灌溉者可以从灌溉的计量计上得到水量显示。基于耕作的水稻不需要比较详细的灌溉规范,它对于水的灌溉制度有一定的适应性和灵活性。另一方面,蔬菜需要经常灌溉,并对缺水非常敏感,因此蔬菜需要更灵活的灌溉制度和高标准的服务。在确定服务规范的标准时,不仅要考虑实际的作物需水量,而且需要考虑农民喜欢的灌溉制度。为得到好的收成,灌溉是灌溉管理者的主要任务之一。除了土壤耕作、施肥和喷洒农药外,灌溉必须经常和这些重要农事任务相联结。

4.3.1.2 水利基础设施

水流控制系统是水力基础设施的重要组成部分,这些基础设施决定着具体服务标准的能力。水流控制的作用是控制流量和分水点(闸)的水位以满足服务规范的标准。渠道流量和水位可以通过几种手段调节:①水位控制;②流量控制;③水的体积控制。大部分系统通过水位和流量联合控制进行操作管理。干渠的水位通常间接地控制取水口流量。因此,取水口流量的变化是上游水位变化的结果,也是取水口水位调节器对流量变化的敏感反应。渠道内起伏的水位需要各取水口的共同调节以维持渠道内具体的流量。选择适当的渠道节点能够产生水力控制系统,这种系统对于流量的变化非常敏感。为达到某种具体服务标准,利用这种系统控制水流是非常难的,也是不实际的。如果所提供的服务需要稳定的流量输送,那么就必然要求有一种系统能维持稳定的水位。目前,水力控制系统的研制存在着广泛的发展空间。关于水流控制原理,我们将在第 5 章进行详细的描述和分析,这里只讨论上下游水位调节的一般特征和流量控制系统。

世界上应用最普遍的是上游水位调节系统。通过上游水位调节系统,上游监控系统可以自动调节水位。在流量变化之前,所有上游控制节点的控制设施必须安装到位。在需水时,水流控制系统对连续的变化产生反应。通过有限制弹性机制,例如强制的或有计划的送水,调节系统更加适应于定向的操作服务。下游控制与下游水位调节器的水位变化相适应,下游控制能很好地适应下游控制节点的水位变化。通过适当的仪器和自动化调控,人们可以设计这样的控制系统,它能使所有的节点调节器对变化的情况立即做出反应。水体积控制系统在包含所有控制节点的同时操作系统,以维持每个渠道内恒定的水量。通过这种类型的调节,每个渠道内的水面会围绕一个水平点起伏波动,这个水平点大约处在各控制节点的中间位置。执行水流控制计划需要结构控制的自动化设施,这些设施与中心监控和调节室相互连接。除了水力基础设施的类型外,提供服务标准的能力取决于管理效能和操作能力。从理论上讲,任何服务的标准既可以通过人工操作完成,也可以通过自动化控制系统来实现,前提是操作和管理的投入必须到位。这样我们可以推测到,如果必要的软件和硬件设施得到保障,那么一些既定的服务标准就可以实现。然而,实际上这样的保障要受到一定的限制。经验表明,管理水平和操作技能通常是手工控制系统中的限制因素。下游的自动化控制系统有较高的灵活性,尽管有高水平的管理专家和熟练的操作人员,但系统自动化并不需要很多员工去操作与管理。

4.3.1.3 水资源

水质和水量利用的可靠性是影响服务规范制定的一个重要因素。调节系统通过储水池提供了可靠性和灵活性的标准。当自然河流的水流低于正常标准时,这些储水池可以在干旱时期提供用水。

灌溉的潜力一般取决于水资源利用的限制因素。这可以说明为什么现存系统的潜力和新供水系统的设计通常要分高流量的保证率。对于调节系统来说,在需水关键期流入水库的总缺水量决定着储存的最小库容和同一时段必须达到的最高水位。这个流入产出分析是通过考虑操作标准或干旱期安全保障原则得出的。河道内流量内在的巨大变化和不可预见性意味着在干旱期通过河流完全满足水的供应存在着一定风险。供水系统分析的目标是确定系统可持续的供水标准,这些标准是必须达到的并且是一套可执行的标准,这通常称为安全生产或严格生产。

为了确定固定的产量,必须对蓄水体积、需要维持的水位以及供水可靠性之间的关系进行研究。蓄水表现可模拟为不同的储水容量、不同的需水量和同一河流经常性供水竞争类型。水库供水的可靠性定义为:在水库常年不缺水情况下,水库能够满足供水需求的概率值或可能性。可靠性表示在有风险意识情况下,具体确定的供水量。这种风险意识若不能根据任何一年的具体执行标准供应水量,那么这种供应的可靠性将成为服务规范标准的一部分。这种服务标准是和用户的用水率和水量额度相关联的,它也会成为由于水短缺所形成的限制政策的基础。当各种限制条件应用时,水库的警戒水位通常通过水库的规则曲线确定。不同的用户之间其限制性政策也是不同的,这样可以通过不同用户的限制严重性来反映他们应对水量供应不足的能力。在早期的开发阶段,许多现有的供水系统能够保证高标准的用水需求,因为他们的设计考虑到了未来灌溉水、城市用水及工业用水的增长需求。在开发的起始阶段,用户高标准的需水会引起不断的可靠性标准的期望,在大多数情况下,维持这种需求是不可能的。

因此,干旱的安全保障准则是非常重要的。这种准则在开发过程的初始阶段已经明确地获得通过,这样各种用水团体清楚地知道供水可能限制的意义。超过时限的实际供水变化,其可靠性强调了服务规范的适时需求和需水必要性。这种情况可以通过一个例子来说明,即许多水库的快速淤积导致了库容的减少并降低了供水的可靠性。

在水量调节系统中,在灌水季节开始能够使他们改进农事计划之前,灌溉管理处可以对调节水量的利用方式提出建议。无论这种情况什么时候发生,对于季节性需求的水量分配和计量标准的过程都是关键的。自然径流量的变化会对没有水量调节的系统产生剧烈影响。在制定服务规范时,必须考虑到流量的波动变化,这种波动很有可能通过建立一套水供应和使用的准则而得到有效遏止。总之,没有调节系统的灌溉供水组织的能力是有限的,服务规范标准对此也有影响。对于灌溉排水组织来说,地表水是通常被利用的最重要的资源。尽管在某些干旱地区灌溉组织管理地下水,但农民自己通常组织开发和使用地下水。在地下水管理计划中,地下水和地表水具有同等重要的价值。有采矿的地区,浅层地下水的开采不应当超过安全的限度。尽管污水的利用必须满足灌溉水质标准和卫生标准、生化污染处理标准,但排出的水和污水的再利用应当像地表水一样进行处理后再利用。

4.3.1.4 泥沙的负担

在许多河川径流调节计划中,泥沙负担是灌溉系统管理中的一个主要因素。尽管当今许多技术在泥沙处理中得到广泛应用,但灌溉渠道中的泥沙淤积仍然是人们担心的一个问题。在许多国家,尤其在热带地区,泥沙的处理方法是采取最大流速保持泥沙以悬浮状态冲到下游。在低流速期间,需要通过讨论来决定是否用轮灌的方式限制流速。这种轮灌限制了送水的灵活性,轮灌方式会增加渠道疏浚的维护成本。

具有清理泥沙任务的渠道,其水流控制方式的选择对于渠道的维护成本标准是非常重要的。在最小水位下的渠道系统必须得到维护以保持水供应。通常,取水口比其他河段易于沉淀泥沙,因为其他河段没有水流调节作用。在下游的水流控制系统中最容易储存大量的泥沙,这一般是避免选择高含沙水流的直接原因。还有另一种情况,即输水的灵活性必须与灌溉渠道疏浚的额外成本相平衡。

4.3.1.5 水权

个人和管理处一般可以通过法律来获得水权。世界上有许多水权制度,然而它们一般属于两个学说:①河滨学说;②适用性学说。

河滨学说基于英国习惯法。这个学说的主要原理是在河边居住的土地所有者有资格获得河流的享有权,河水的流量不得减少、水质不能污染。土地所有权涵盖浅层地下水的使用权。这个规则的严格使用不允许耗费河流中的水用做其他用途(包括灌溉)。由于这个原因,适用于河滨学说的国家已经在修改水法以削弱水权的垄断行为。

适用性学说声称,水是公共商品,私人或管理处只要遵守一定的要求和原则就可以获得水权。尽管有效地使用意味着必须获取取水资格,但不必涉及到生产效率和效能。如果不能遵守有效使用的原则,水权会被收回。在某些情况下,适用性水权首先获得者须比其以后获得水权者优先满足需水要求。适用性学说的其他变化因素是以应用类型为基础建立优先使用权,例如市政、工业、农业等;或以作物的类型为基础,例如由于建立的周期和资金投入的需求,果树生长期必须优先获得灌溉水。适用性水权要素包括流量、使用时间、分水点、使用属性、使用地点和优先权等。总之,没有权力部门的批准,这些因素没有一个可以被改变。如果不这样做,水权很难得到保障。

两个学说为具体水法或法案的制定提供了总的框架。这些学说进一步包含了管理规范,通过这个规范拥有水权的个人和团体可以分享灌溉服务。1993 年,罗斯特和斯奈林提出了六个水权建立的原则:

(1)按照单位面积来分享。

(2)按照人头或门户来分享。

(3)单位面积固定的流量。

(4)固定的水体积。

(5)即刻的需要。

(6)非正式或非确定性权利。

这个清单包含了水量分配的基本原则。但是,世界上也存在着这些原则可能联合应用的情况。这些水权应用会受到某些条件的限制,例如权利的中止、获取水权途径的特权、解决水资源短缺情况的特殊措施、作物的种植政策及其他资源的共享规则等。水资源的分配原则在制定服务规范时有着重要意义。与灌溉面积和家庭密切相关的水权通过限制用户自由选择最佳的用水时机,更有可能对供水的适用性和灵活性强制设置某些限制。按体积分配水量为用户和管理处提供了一个研究服务规范的机会,这些机会使用户可以实践他们的选择权利,决定什么时候通过水利基础设施的限制来分配水量。

服务标准的巨大提高能获得水法赋予的水权转移能力。允许水用户临时性或永久性转移他们水权的结果会提高水利用的灵活性和适用性。水利经济效益的改善是额外利益,因为水的实际经济价值在这些开放的市场交易中得到了很好的体现。然而,水权的转让必须管理并规划好以便使水管理者不仅能有效地规划次要的发展计划(例如灌溉),而且能提出整个流域的发展规划。这包括既能保证水能满足全社会基本需求的能力,也能阻止或挫伤投机获取利益的交易。

4.3.1.6 农民的灌溉实践

灌溉服务的最终目的是为农民的农业生产提供灌水服务。农民企业的生存能力大体上取决于所提供服务的可靠性和农民的偿付能力。如果有高标准的服务,农民可以减少风险,并能较好地投资于农业技术和高附加值的作物。因此,建立和提供一致的服务标准体系在经济发展过程变成了一个重要因素。灌溉计划的概念就是以最佳的水量在最佳的时间内为作物供水,以获取作物的最大产量或收益;同时,农民也获得了合理的灌溉效率。因此,计划灌溉在农业标准上取决于前面提到的作物、土壤和气候的种类,以及灌溉技术和农民对灌溉技能的掌握程度。为了有效地利用水,灌溉者需要了解灌溉需求的实际信息、时间、流量、历时和灌溉周期。从理想的做法来说,灌溉者应当有直接获取水的途径,因而,他们会对土壤湿度情况做出适度反应,并优化他们的灌溉计划,并与其他的活动同步调整用水计划。因此,农民喜欢在供水中具有最大灵活性。然而,大多数灌溉计划很难提供灵活的灌溉方式,水量的有效性和供水时间也经常受到取水设施的限制。

在研究供水计划时,灌溉组织必须努力满足农民的需求。供水计划也必须与水流控制系统的限制条件和能力相互协调。灌溉系统的成功和失败大体上是由私有农民的农田闸门决定。在小型的灌溉计划中,农民的数量是巨大的,供水的作用经常在三级渠道的输送中通过水用户协会表现出来(WUAs)。因此,供水需要便捷的通讯、实用的规则、用水的制度、输送的方式和水分配政策等。然而,可靠的运作机制应当是合理的和可以操作的,并且农民也乐意接受它。但是,这些规则是经过不同形式的讨论确定的。灌溉处本身也制定了一套与水分配、用户与团体供水相关的制度。水用户内部也制定了他们自身的规则,并依此分配水量。这些情况反映了农民社区内社会职责与权利的分配,以及水权和调节社会文化情况下水分配的利益调整。

4.3.1.7 灌溉政策

从传统意义上来说,庞大灌溉计划的研究和制定是作为政府部门的管理处的责任,灌溉计划是政府发展规划的一部分。在开发目标的框架内,灌溉管理处所分配的任务是为用户供水的管理基础设施提供服务,这种情况发生在水用户与管理处责任的划分中。在大多数灌溉计划中基础设施的安排包括了三个操作标准,即:

(1)渠首工程和主要系统。它们的主要作用是为三级渠道和单个农民获取和传输水量。

(2)为农民分配水量的三级渠道系统。

(3)农田系统。水直接进入农田,这是水利基础设施和产量系统发生实际联系的交会点。

通常涵盖水利基础设施管理有代表性的组织是由灌溉排水机构、一组正常或非正常水用户团体和单个农民组成的。灌溉排水机构为一组水用户团体供水,然后,这组水用户团体按照一定的正式或非正式的分配制度将水再分配给各自的用户。

在本章内容中,对规划和决策的五个标准需要统一认识:①政府;②流域管理机构;③灌溉管理机构;④水用户协会;⑤单一水用户。每一个决策标准的制定对其下一级的决策产生了重要影响,如图 4.1 所示。在许多国家,水用户协会和流域管理机构还没有建立起来。在这些国家,由于不存在水用户协会,灌溉管理处直接将水供应给农民。在有些国家,也没有流域管理机构,其原因大概是没有用水矛盾的现象或灌溉机构有权力管理水资源。

系列的决策过程包含政府的选择,以及水政策反映的广泛意义上的开发目标。这些政策为水资源管理建立了合法的组织框架,包含多元性准则和用水竞争。通过这种方式,政府为不同规划标准的有效实施提供了强有力的保障措施和政策环境。流域机构一旦建立,其首要的任务是认真考虑如何为流域内不同的需水用户提供优质服务,并缓解环境污染给人们造成的生活压力。在这个范围内,它既可以进一步发展,也可以贯彻政府的水权管理条例、程序、分配优先权以及开采或处理污水质量标准。灌溉管理机构的政策标准包含了其他的灌溉水分配权的制定,供水管理和管理成本回收以及系统管理等。考虑到内部的水量分配,税收资金的征集和回收,水用户团体可以自己做出决定。单一的水用户可

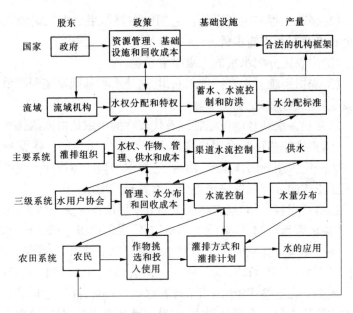

图4.1　政策抉择的基本框架

以决定作物的种类、农业投入、农田的灌溉方法和灌溉计划。然而,决策是双向互动的过程,通常高标准的决定因素对低标准的因素起作用。

由于政策制度涉及到灌溉、排水组织和用户的服务规范标准的制定过程,因此可以由立法和流域机构的制度加以限制。同时,立法可以为各种竞争的水用户提供法律保障,例如为家庭、工业和农业的优先用水权提供优惠政策等。在这些情况下,服务规范的标准必须将各种制约因素整合起来,以限制供水的随意性。另一套限制性因素来自于政策机制的转化,例如转为基础设施、操作规则和管理基础设施的程序等。举个例子来说,政府的水政策可以宣称,水费的征收应以体积单位来计算。那么,水利基础设施应当对水流容量的测定和流速的观测以及送水的历时和管理进行记录、处理并按水的消费多寡收费。

4.3.1.8 环境规则

灌溉和其以后的排水以多种方式对环境造成影响。灌溉水在灌溉后其水质下降,而随后的排水也降低了地下水和地表水的质量。由灌溉引起的地表径流通常会显示有机废物、泥沙、营养物和杀虫剂不断增长的现象,而浅层地表的排水水流通常会表现出盐分和其他具体离子的浓度集中现象。如果排水不谨慎处理,那么灌溉对土壤等也会产生弱化土壤肥力的影响,例如盐渍作用等。灌溉的另一个负面影响可能是由带菌水引起的疾病,例如疟疾和小儿麻痹等。

另一方面,灌溉作物、灌溉者和农业产品的消费者会受到环境因素的影响,例如即将用于灌溉水的生化质量。人类灌溉作用对环境的影响,是各类因素共同作用的结果,政府应采取措施消除这些不利影响。灌溉排水活动最普通的环境方面必须遵守灌溉的水质规则、排放水的标准和环境水量分配(环境流量)。灌溉和动物饮水的水质准则在相关文献中有明确的记载(联合国粮农组织,1992 年)。盐的含量和灌溉水中钠离子的相对浓度对作物和土壤特性会产生负面影响。当地表水和地下水联合用于灌溉时,土壤盐度过高的问题经常发生。用大量的淡水冲洗是降低盐度经常采用的方法,该方法将稀释盐分,降低盐渍化程度。对于植物生长所必需的硼和氯化物等其他因素来说,在土壤中它们的浓度必须限制在非常小的范围内以免作物受到毒害。服务规范的标准包括了含盐量和毒素的上限参照标准,这些标准是在灌溉水质允许的范围之内的。特别在水循环利用时,服务标准应该包括生化需氧量(BOD)和化学需氧量(COD)、生物病菌的承受标准和寄生虫限制标准等。在联合国粮农组织(FAO)的指导原则中,我们可以发现应用不同目的的准则和灌溉技术。从水库释放的水需要满足具体的生态准则。在河流把水从水库输送到灌溉工程中,这种标准的应用更加普遍。在灌溉用水紧张时,水库系统经常额外地增加放水量。在灌溉分布系统的操作不受直接影响时,维持环境生态流量会受到限制,因为这些限制是确保水用户得到及时的供水服务。

4.3.2 排水服务的决定因素

在大多数灌区,排水服务是由农田排水口的服务组成的。然而,在某些地区,特别是三角洲地区,排水服务也包括调节最大水位和最小水位,以便控制地下水位。因此,排水服务应当与其具体的目的相互关联。这些具体目的是由多余水的资源、地下水位、土地利用、土壤及排水服务区内的水文地理因素等决定的,其他包含的因素还有气候、降雨类型、水利基础设施和环境制度等。

4.3.2.1 排水目标

多余水分的控制与排除对于作物生长来说与灌溉同等重要。来自灌溉、降雨或两者结合的多余水分经常妨碍农业生产率的提高。用人工措施排除来自土壤表面的水和土壤中的盐分称为陆地排除法。在农业耕作中,排除的目的是让土地更适合农业耕作;排除的目标是增加农业产量,维持土壤肥力,降低生产成本,最大限度地从农业生产中获取利益回报。

必须区分土壤表面水、根部水和地下水的排除。在缺乏低地下水位的情况下,强降雨和集中灌溉以及不合理的土壤结构会导致地表水和浅层地下水排除难的问题。这些问题既可以通过安装地表排水装置来解决,也可以通过改善土壤的结构状况来解决。为了这个目的,灌排组织必须提供排水服务以使农民处理来自农田的多余水分。这种服务是由农田多余水流的保护处理的方法构成的。排水口为主要的排水系统提供了排水的途径,这是服务的主要内容。在地下水位高的地方,排水前必须先通过地表排水系统降低地下水位。在这种情况下,排水服务的目标就是为地表排水提供一个出口,以便农民能够控制田内的地下水位。灌排组织所提供的服务能在一定的水位起伏状态下,进一步维持最小的地下水位,以便达到以下目的:

(1)通过毛细水的上升控制水量供应,这对于依靠降雨灌溉的农业地区来说是非常重要的。

(2)控制土壤中的化学品的处理过程,例如泥炭、硫酸盐土壤的处理。在这种土壤中,低的地下水位会减少氧化过程。由于硫酸盐土壤中毒性和酸性作用以及泥炭的存在,这会导致土壤的板结。

(3)由于土壤的排水,土壤的板结程度会降低到最小。

(4)防止对楼群或其他结构的破坏。

除用于农业外,排水系统也用在非农业多余水的排除方面,例如自然、城市、工业领域。除此之外,排水系统用于地下水控制以及家庭和工业污水的排放。按照这些功能,人们可以将排水系统设计成具有具体目的的系统。每一项功能具有学习的服务说明和适用条件以及物理和基础设施管理的具体要求。在排水领域内,来自降雨和地表灌溉的多余水分的排除称为内部排除,经常提供的另一项服务是外部排除。外部排除是指通过管理将外部的水分通过本领域的边缘排除出去。通常外部排除与位于流域外的管理区域内的河流或小溪有关。外部排除经常使排涝或防洪变得更容易,因为洪水的发生是自然界的随机现象,因此所提供的服务可以表征为安全程度,这种安全程度是与最大的洪水位或流量相关的。

4.3.2.2 气候与降雨系统

在排水服务中,气候特征是重要因素。在干旱或半干旱地区,降雨量不足以冲洗掉土壤中的盐分,排水的重点集中在除涝和防止盐碱化上。在湿热地区,排水的重点放在渍水的转移和防洪上。

降雨强度、历时和分布都是随机的过程。地表径流的数量及后期地表水位和地下水位的变化取决于地形、土壤特征、暴雨强度和历时。因此,服务的标准必须与暴雨发生的概率或标准水位的超出程度有关。

湿热地区的许多地方由于受到季风因素的影响,需要集中排水设施以便排出多余的降水。在这些条件下,所提供的服务首先考虑的是基于地形因素不同系统部分所要保护的重点设施。低洼地区的保护比高地的保护花费高。这种排水的类型必须经常依靠水泵抽排多余的水分,例如在荷兰、中国和越南这种排水的方式比较多见。那么,系统所需要的容量一定与土地的特性和地区降雨特征有关。

4.3.2.3 排水政策

排水政策的制定主要涉及到区域内不同生产内容要保护的标准。在制定政策时,必须考虑到保护土地的成本和效益。有时,排水政策是一个地区城市和农村发展规划的一部分。

热带地区的排水政策重点体现地区的保护,因为这些地区经常遭受到洪水的威胁,而忽视排水的集中处理过程。这种途径只有在以土地为基础的作物低产区可以实现,例如水稻产区。尽管社会情况经常要求当地的保护政策,但对于排出低地水分来说这种做法是不经济的,也是不可行的,特别在城市发展区更难以做到。在缺乏城市或工业发展的情况下,这些地区可以转化产业方式,例如渔业,这样可以允许多余的水分作为可利用的资源,而不是白白排除掉。

我们应当付出更大的努力制定整体的排水政策,这些政策应当考虑到土地的轮换使用方式。

排水费用的引进对于促进排水政策的制定起到了催化作用。排水服务的具体操作规范必须包含用户同意的服务标准、对用户的广泛咨询和排水服务成本的核算。这可能根据不同的用户和不同的容量,其服务的标准也存在差异。

4.3.2.4 土地利用

在排水服务的需求中,土地利用是一个决定因素,必须严格区分农业用地、非建设性用地和城市建设用地。

首先,建设区的径流峰值相对高些,因为存在地表的渗漏和降雨历时的短暂性。在非建设区域,流量峰值相对较低,因为当地低气压的存在、渗漏和暂时的集水。

其次,防止洪灾所采取的保护措施和程度与财产或作物的价值和损失有关。如果发生超标准的降雨和洪水,这些损失随时都可以发生。农业的保护标准通常比城市或工业区要低。即使在农业区内,一些高价值的作物其保护标准也是不同的,这些作物比其他较低价值的作物更容易受到涝灾的影响。因此,在采取的保护标准、保护财产的价值和服务成本之间存在着直接的关系。高保护标准必须要求系统有大的排水能力和大的存储容量,这与设施的操作成本有直接的关系。

4.3.2.5 作物和土壤

作物对涝灾和盐碱化的敏感性是农业排水服务的主要因素。作物对水的敏感性决定了洪水与地下水位发生的最大可容许深度和历时。农田地下水位决定了集雨区和主要排水区所需的水位。当目标水位不能通过重力作用达到所需要的水位时,那么人为降低水位是必要的。这些目标水位必须转化成控制地下排水系统的水位。这些原则对于每一个作物类型和作物的生长阶段都是不同的。对于所提供的服务,在考虑到作物暂时的和空间变化的基础上,服务者必须和用户就服务的标准达成协议。排水服务更多的灵活性包含了较高的服务成本,灵活的排水服务的实用性取决于作物种植规模的变化和土地所有权的大小。种植单一作物的土地所有者比种植多种作物的土地所有者在用水需求方面更容易满足。水力传输力、储存容量和具体产量对于排水来说是最重要的土壤特性，这些特性决定了土壤排水的空间，并且对地下浅层排水的峰值流量也有影响。为了符合水位变化和承载容量的服务规范，排水承载区的容量必须为农田系统排出的峰值流量提供适当的容留空间。

4.3.2.6 水利设施

排水服务的规范决定了水利基础设施的要求，这些基础设施的要素有排水的密度、传输的容量、存储容量和水位。重力排水的情况是不可取的，水泵排水费用太高的情况也包括在排水服务的规范之列。

在许多情况下，由于自然排水网络的适用性，排水服务系统并没有开发。然而，近几十年来，大多数灌区提供了地表水的排水渠道。在许多国家，地表排水系统的开发仍处于起步阶段。在泵站和渠道设计中，承载容量起着重要作用。渠道系统内较大的储存或滞留容量降低了传输需求和泵站容量以达到同样的服务目标。当然，存在着一个最佳的存储容量，该容量与土地的价值和储存设施成本相关联。重力排水系统通常很少需要人为的操纵。为延长灌溉时段，水位控制点通常固定在一个季节性基础之上，例如干湿季节、夏冬季节等。这些系统当然受到地表水位和地下水位起伏的影响，泵站系统同样也受到水位起伏的影响，当水位降低到某一水平以下时，必须启动泵站系统。如果许多泵站或水位调节器是由中心控制的，当地的控制过程可以是自动的。通过潮汐出口排出水量会出现特殊的情况，例如在越南的湄公河三角洲地区或印度尼西亚的潮汐低地中。许多灌区位于三角洲地区，在这里潮水的水位会影响到排水的能量。对于因潮汐水位引起的重力不能排水的情况，利用存储承载区存水是很重要的，在确定服务标准、尤其在确定系统服务成本中，这是一个很重要的变量。有时在其他情况下，利用泵站设施提水灌溉时，重力排水是必要的。

4.3.2.7 环境规则

排水服务必须经常遵从环境制度，这些制度与污水的排放有关。这些服务首要目的集中在保护承载水的质量。排放水中的主要污染物有过多的盐分、营养物质、农田中的残余物和动物排泄物等。排放水质量监测可以在农田的排水口进行，也可以在排水网络的其他出口进行（框图4.2）。

排水中出现的其他污染物质有高酸性物质和酸性土、泥炭土壤过滤导致的毒性物质。用于非农业灌溉的排放出口，例如污水、处理厂排放物和工业废水可以进行单一的监测，必须采取措施使排放物达到污水处理标准或处理后可用于其他领域（特别是动物圈栏里的粪肥）或用于废物的元素平衡（例如盐分）。目标水位可以用于减少泥炭土壤或酸性土壤中的氧化物。

热带地区的排水服务的提供必须能够对付降雨随机发生的现象，特别在那些降雨是主要特征气候的地区更应采取有效措施，加强排水服务。这可以和灌溉服务相对照，灌溉服务通常属于既定计划的服务并依靠单一的目的为农民供水。灌溉的其他因素进一步和排水服务的条款区别开来。除了农民外，排水系统也服务于其他的水土服务领域，包括城市、工业和其他非农业用地。这样，排水涉及到大量具有不同利益的客户，他们具有不同的用水需求，在执行排水服务规范时都应当咨询他们的意见。由于利益的范围涉及到系统的扩展，所以在服务制定过程中必须考虑更多的因素。

框图 4.2　地表水的一些水质标准(德夫兰,1993 年)

参数	最大值	
总体	能看到污染物并嗅到气味的水	
温度	<25℃	
O_2	5mg/L	
pH值	6.5~9	
营养物		
P	0.15mg/L	
N	2.2mg/L	
叶绿素	100μg/L	
氨	0.02mg/L	
盐分		
氯化物	200mg/L	
氟石	15mg/L	
溴化物	8mg/L	
硫酸盐	100mg/L	
细菌		
耐热的大肠杆菌	20MPN/ml	
金属物	目标值(μg/L)	最大值(μg/L)
钙	0.05	0.20
汞	0.02	0.03
铜	3	3
镍	9	10
铅	4	25
锌	9	30
铬	5	20
砷	5	10

4.4　服务规范标准的制定

4.4.1　服务标准所期望的质量

从用户的观点来看,有几个因素决定着供水和排水的质量,这些因素具有适当性、可靠性、公平性和灵活性(表 4.1)。可靠性、公平性和期望的水供应与可靠的排水服务对农田或其下面的出水口来说是水管理的前提条件。

表 4.1　　　灌溉服务标准期望的质量

服务质量	灌溉	排水
适当性	满足最适宜作物生长的需水量的能力	在最短时间内免受涝灾损失而排水的能力
可靠性	供水的信用和保证率	处置多余水量的保证率
公平性	水短缺时水量的均等分布	洪灾时多余水量的公平分滞
灵活性	选择灌水频率、灌水率和供水历时的能力	选择时间、排水率和处置历时的能力

4.4.1.1　适当性

灌溉服务中的适当性原则是供水计划为满足植物生长中最佳需水量所采取的一种措施,它经常用供水量与作物需水量的比值来表达。然而,适当性比较确切的定义应当考虑到水用户和农业灌溉中与农事有关的其他需求,例如土地的平整、作物生长期中的耕作等。供水的适当性是灌溉土地面积、作物耗费、灌溉损失、盐渍化和灌溉传输系统的能力的函数。所选择的服务标准决定了这些需求如何在灌溉计划中既满足时间又满足空间的要求。排水的适当性是排水系统处理多余水量减少或阻止损失的一种措施或能力。通常暴雨径流是排水能量的决定因素,因此排水服务的适当性可以通过排水系统的能力来表示,排水系统是按照设计暴雨类型建立的。

4.4.1.2　可靠性

可靠性是灌溉系统或排水系统中传输水量的一种自信措施或能力。这些措施是指排除多余水分,控制服务规范制定的地下水位。可靠性定义为供水量与供水需求比率的暂时的一致性。供水的可靠性对用户来说是重要的,因为它允许农事活动中利用适当的灌溉计划来获得最佳产量。供水可靠但不适量或适量不可靠都是有可能的。农民期望高的灌溉保证率而不是较大的灌水量,因为好的作物产量安全标准是较高的尽管在种植面积上有所减少。可靠性也是供水方式的函数。在连续供水的系统中,可靠性指某一流量或水位必须满足或超过的期望值。在这些情况下,变化是主要考虑的因素。在间歇性供水系统中,如轮灌,供水时间的预测是主要考虑的因素。

农业可靠的排水服务其重要性随气候和灌溉区域的地形因素变化很大。在干旱或半干旱地区,适当的排水系统的需要已经被忽视了很长时间了,因为这种系统的影响具有更多的保护特性。当盐渍化或涝灾成为既定事实时,用户只认识到对这种系统的需求。在湿热地区或平地区域,地表排水是要考虑的主要因素,因为在这些地区如果排水设施缺乏,洪灾会频繁发生。在这些情况下,排水服务的可靠性是比较重要的。

4.4.1.3　公平性

在灌溉管理中,公平性是指按照水权确定的水资源数量对水分配所享有的均等原则。在水权系统存在巨大变化情况下,很难提供公平的水资源分享服务。然而,大体上来讲,它可以定义为与分配水量份额有关的对用户实际的供水量。这个词经常和平等相混淆,但是平等表示的是一种条件,即当水量丰沛或短缺时,不管水量大小或取水位置的上下,所有用户必须具有平等的水权。

在排水中,公平反映的是涝灾、洪灾和损失后果在空间和时间上的分布。涝灾通常发生在经济不景气时,这时也是洪灾损失最严重的时候,因此在排水中公平意味着风险的分担过程。例如,从农田或三级渠道的排放口或通过入海口排放多余水分时所采取的均等限制措施,它会导致在同一降雨概率发生时多余水分排除难的问题。排放水量的大小与作物的价值或排水土地上的财产有关,这些价值或财产反映了服务标准的价格或成本。

在灌溉排水中非公平性经常存在。除了灌溉水短缺外,洪灾和涝灾也经常在灌溉系统的末端区域发生,因为这里的地势较低。

4.4.1.4 灵活性

用户选择灌溉频率、灌水率和供水历时的能力决定了供水灵活性的程度。非灵活性的灌溉制度可以通过简易水力控制设施来执行,因此其执行的资金和运行成本也较低。非灵活性系统的主要缺点是不能够按照作物需求或灌溉调节器的要求提供水量,而主要利用降雨来满足水的供应。

更加灵活的灌溉制度需要较高级的水力控制设施和操作程序。它们也需要具有较大容量的传输系统来满足用户集中用水需求的可能性,这些需求经常需要大量的资金和运行费用。然而,对灌溉计划一个更客观的评价应当考虑到从灵活性灌溉中取得的利益,例如较高的生产率和农产品的质量。实际上,人们经常说灵活的灌溉服务能激发农民的投资热情以便更好地改进农业技术,提高产量,为农民增加更多的收益。

在农田中,水利用的灵活性也可以通过充分利用土地蓄水池与地下水的联合利用来达到。在这两种情况下,向农田排水口传输水的计划是不变的,这种情况可以通过单一农户或农民团体改进或实现排水的灵活性。

排水服务的灵活程度是由用户选择时间、用水率和多余水分排除质量所需的能力决定的。对于服务标准较高的情况也需要更加灵活的处理方式。

4.4.2　新的或恢复的灌排计划

新的灌排计划的制定或恢复及现存计划的修改必须有计划地满足一套用户服务规范。新的灌排计划为灌溉管理处和用户提供了更多的灵活性以便使足够的水力控制设施和必要的管理投入达到应有的服务标准,并在完成计划后还能维持灌溉的灵活性。在这个过程中,必须考虑的主要因素有:

(1)农民和灌溉处的水权管理途径。

(2)政府的农业、环境和灌排政策。

(3)作物－土壤－气候的内在作用。

(4)地表水和地下水资源特征。

图 4.2 详细说明了服务决定因素之间的内在关系。一套服务标准是基于用户所期望的标准开发的。在开发的过程中,建立了服务规范与服务成本之间的紧密联系。该过程的核心内容是对各类水力控制及服务标准需要的管理评价。除水力标准外,水流控制技术的选择必须基于管理的布置和操作需要的管理容量。服务标准与水力控制技术关系将在第 5 章中进行更加详细的讨论。

在完成新的基础设施之前,服务标准管理必须得到合理的布置。贯彻和维持既定服务的操作需求和管理随着发展阶段中已经合理的规划布置不同而变化。

重要的是建立可持续的培训项目以支持战略管理计划。培训经常基于一种特别的基础,该基础作为开发项目的一部分,通常与灌溉处总体的管理目标不相关。

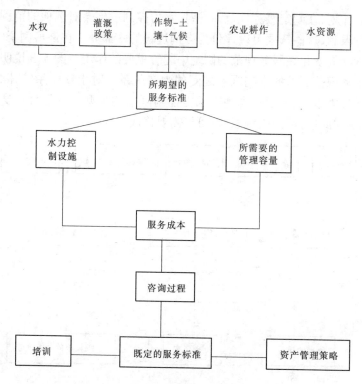

图 4.2　服务决定因素之间的内在关系

4.4.3　现有的灌排计划

对于许多现有的灌排计划,服务规范标准的制定并不包含与用户适当的咨询过程。在某些情况中,服务的标准由政府的政策授权或由灌排机构单方面制定。然而,在许多其他例子中服务准则的标准没有被制定。许多灌溉计划在基于标准原理基础或设计基础上已被制定出来。这些设计和原则不通过询问所提供的灌排服务内容而应用在计划的执行中。只是在完成和进行不必要的限制服务选项后,系统的操作与管理因素才被经常考虑到。对于现有计划,在制定服务规范标准时,水力控制设施会对选项的范围进行限制,这些选项可以评价为咨询过程的一部分。在许多例子中,管理的变化在服务规范的制定中起着重要的作用。图4.3说明了服务规范标准的影响因素之间的内在关系。对于新的系统,除了条件因素外,还要考虑现有水力控制因素的类型及其管理。这个服务标准可能令人满意,也可能需要修改。

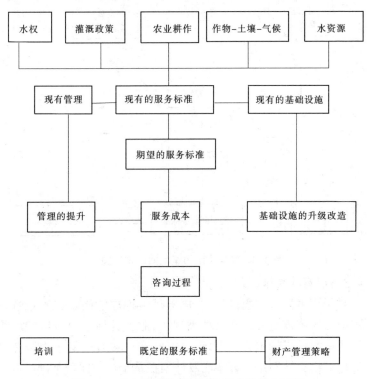

图4.3 现有的灌排计划服务标准的制定过程

　　在制定过程中,用户可以表达所期望的服务标准。这个过程所展示的标准经常是一个比目前提供的服务更高的标准。所期望的服务标准其服务条款既需要提升系统的基础设施等级,也需要扩展管理处的管理容量。必须建立一个综合性的财产管理项目以评估系统维护的现状、设备的更新和水力设施的升级。这些设施要求能够满足所期望的标准,使管理者能决定服务升级的成本费用。财产管理项目制定的详细过程将在第 6 章中进行讨论,可以通过用户参与制定和评价几个要提升的选项,做出合理选择。既定服务标准的提供一般包含了管理布置的变化。管理处的战略规划反映了这些变化。在系统的操作中,管理处职员的培训在确保既定服务有效性方面起着重要的作用。通过咨询过程,用户可以表达所期望的服务标准,期望的服务标准通常比现有的既定标准高。

4.5　服务规范的标准

对于灌排服务,其形成的基础是服务规范的建立。这些规范管理着所有的系统操作。这些服务规范有两个服务目的:①提供一套规范以约束系统的操作运行;②提供一套服务过程中的准则以调节运行的条件。第一套规范其设定的内容必须清晰地设置好数量和运行参数,这些参数允许实际的操作与管理目标相对照。第二套准则指的是在提供服务中的一些具体条款,这些条款系统而又具体,包含了用户的义务和管理处的职权以及特定的服务限制因素。

4.5.1　灌溉服务规范标准

一套典型的灌溉服务操作规范包含以下各方面的内容。

(1)灌水率、灌水历时及供水频率。这些是确定灌溉供水灵活性和适当性的主要参数。灌溉供水计划有很广的范围,这些范围都是在服务条款中必须提供服务的范畴。这些范围从固定不变的供水(例如周期性轮灌)到灵活供水(例如根据用户需求的随时供水)选择性灵活。在第5章将更加详细地讨论各种供水计划。

(2)供水的保证率。向农田供水的保证率是水管理实践和检验足额供水能力的重要因素。供水的高保证率是由供水渠道的最大维护标准决定的。除了明确水位的高度外,服务规范的标准可以包含水位在容许范围内上下起落的幅度。

(3)供水压力。有压灌溉,例如喷灌和滴灌系统,需要运行压力维持在一定的设计范围之内。范围之外的供水压力会导致较低的灌溉效率和不均匀的灌溉分布。所期望的压力范围其数值与压力波动的频率是服务规范标准的一部分。

(4)供水监测。鉴于农民对所制定的服务规范的抱怨,需要建立有效的田间监测网络,需要监测的范围随水力控制设施的自动化水平的程度而变化。在渠系中,全程自动化监测允许对水位和流量进行遥测。最普遍应用的监测系统是人工操作。服务规范标准必须标明操作参数的位置和频率,例如水位、流量、质量等,并且这些参数必须从仪器仪表中观测到。

(5)供水安全。供水安全是指供水长期的期望值,它是由一系列供水效应值及其相关发生概率构成的。这些值是从系统可靠性分析中得出的,并且通常与水资源短缺情况下供水的分配优先权和制约因素相关联。

(6)供水质量。这与灌溉水中污染物的上限有关,这些污染物包括对人和动物有害的有机营养物、农业杀虫剂等。选定的极限值通常与供水的用途有关。

服务规范的内容还不止这些。如前所述,灌溉地点的具体方位需要制定具体的服务规则和适用于系统本身的操作规范。这些规范内容在系统和系统特征之间变化很大(框图4.3)。

所提供的服务应满足的主要条件是:

框图 4.3 四国灌溉计划的服务规范标准对照

服务规范	法国	澳大利亚	摩洛哥	西班牙
机构类型	公共公司，股权归地方政府，银行和农业部所有	公共公司，政府具有基础设施管理权	公共公司，政府具有基础设施管理权	自治的灌溉协会
操作概念	按照需求，未受到限制	按照需求，未受到限制	按照需求，受到限制	强制性措施
水流的控制	未受限制直到最大流量	仅受到渠道设计容量的限制	常数：20、30L/s 或 40L/s	固定的
灌溉频率	未受限制	未受限制，有 4 天的通告时间	受到限制，传输的数量与水的可利用性有关	固定循环，间隔基于作物、土壤和气候
历时	未受限制	未受限制	受到限制，最大的历时基于作物和流量	固定的，与土地使用权和水权成比例

续框图 4.3

服务规范	法国	澳大利亚	摩洛哥	西班牙
供水的水头高度	渠道的水位高和压力标准	渠道的设计标准	渠道的设计标准	N/A
运行监测	通过双重系统监测,计量器/流量计(灌溉处和用户),每月读数一次	如果客户自始至终坚持按计划供水,灌溉管理处确保预定的流量	供水完成后,农民签订用水单	N/A
传输的执行情况	按照服务合同,不同的用户有不同的合同。除非事先要求,否则96%的时间按照低压管道送水	86%的订单按照一天的时间供水	根据既定的灌溉计划足额供水	N/A

续框图 4.3

条件	法国	澳大利亚	摩洛哥	西班牙
水费	固定费用＋按体积的收费；固定费用基于服务传输的订购。体积收费基于总体流量的体积。总体费用为0.1美元/m³,全部费用包含了财产更新	按体积计算为0.021美元/m³,全部费用包含了财产金和年金更新	按体积计算,价格随重力灌溉、提水灌溉及有压灌溉条件的不同而不同,大体在0.020～0.040美元/m³,政府补贴资金回收的不足	N/A
供水点	每个合同持有者有一个供水点(不同用户)	适合于家庭和便于仪表查询供水点	每组农民有一个供水点,农民按轮灌方式灌溉	每组农民有一个供水点,农民按轮灌方式灌溉
供水次序	按用水需求供水,没有供水先后次序	电话预约,提前4天提出供水要求	灌溉管理组织发布一个轮灌周期,农民可以要求灌溉的时间和历时,应起草灌溉计划并获得用户同意	N/A

续框图 4.3

条件	法国	澳大利亚	摩洛哥	西班牙
供水限制因素	在水资源短缺情况下,应按供水次序供水,水量分配应按照订单按比例分配到用水户	当水量供不应求时,灌溉处应将供水量平等地分配给用水户	作物类型在季节限制条件下,允许种植的作物应平均分配水量	多年生作物获得优先水量分配额
水权	依据合同	可以永久或临时转让	与土地所有权紧密相关	水权不可转让,与土地的使用权紧密相关

注:"N"指国家;"A"指灌溉管理处。

（1）供水费用的支付。水费征收基础随着单位面积发生很大变化。税收的结构在促进充分利用水资源方面具有巨大潜力。单位面积的平坦率通常与供水的固定配额和服务有关。在这些情况中，税收的结构包括了对灌溉作物多样化的不同征收范围。在许多这种价格结构使用的灌溉方案中，水的特性和水权与土地权相联结。按体积计算的流量能较好地反映作为商品的水的特性，因为水费和所使用的水的体积成比例。按照体积收费，研究不同的税收结构也是可能的。在这些税收结构中，总的水量分配其连续的水量份额可以以不同税率征收。

（2）供应点。灌溉水可以供应给单一用户，也可以供给用户群。因此，确定分散的水量供应点的数量或单元土地的水量出口是非常必要的。对于简易的操作来说，供应点的数量通常被限定在一个点上，例如农田单元的渠首或三级渠道的出口。

（3）水量订单。在具有灵活性水管理计划中，单一用户或用户群能够按照他们的需求分配水量。必须建立一套清晰的规则以便按需供水和灌溉处有目的地提供有效水量。按照水力控制和管理的类型，经常存在着这样的情况，即预先通知水用户在供水前预付水费。按照计划制定的特别的用户操作器的管理，其变化范围不同。明确了对基础水利设施具有责任的计划，用户可以在二级渠道中接受到供水服务。在这些情况下，具体的管理对于系统下游的运作是非常必要的。

（4）供水的限制。在水量不足时的限制用水对保持连续供水是必要的。对于不同的用户群，其限制政策也是不同的，这样对不同用户的严格限制反映出他们应付水短缺的能力。限制供水经常称为限制应用的一系列"关键水位"。在调节系统中，水库调度曲线通常用来确定"关键水位"。

（5）水量分配优先权。水供应的优先权随不同的作物和不同的用户而不同。有些用途例如城镇供水、工业供水及多年生的植物用水(例如果树等)可以优先供应水量。在这种情况下,用于其他领域的水应在满足具有优先权的用途之后再供给。

(6)一年的服务供给。一年中必须间断性供水以便留出时间进行渠道的养护维修。然而,灌溉季节的开始与结束是由天气状况决定的。决定供水的开始与结束的准则必须清晰地表述为服务合同的一部分。有时,暂时的停止供水也会因突发事件或渠道的不畅通而引起。

供水的灵活性、适当性、可靠性、公平性以及机构满足服务规范的能力决定着服务的质量(框图4.4)。没有单一的评价准则足以评价服务的质量。从理论上讲,按需求的非限制性系统可以提供供水最大的灵活性。然而,服务的可靠性对于机构提供具体服务的能力是非常重要的。在所有情况中,需要有效的监测和评价系统去评估服务的执行情况。在第7章中将详细论述监测的执行情况。

4.5.2 排水服务规范标准

对于排水没有一套单一典型的服务规范。排水功能的变化和不同情况下排水需求的多样性需要具体明确的规范。下面提供了一些基本的具体的规范。尽管没有包含全部的内容并需要以后按照地方要求进行扩展,但是从这些规范中可以得出更具体的服务内容。

(1)排水率、时间和排放历时。设计排水容量是为了处理在某一降雨历时和降雨强度下排除多余的降雨径流。排水的时段是允许的淹没历时。超过设计暴雨的洪水会导致来自上游地区的流量激增。如果在这种情况下,来自上游的流量受到限制,排水区域的淹没历时会呈现均匀分布。限制流量是为了给上下游提供均等的服务。对于时间和历时的限制通常显示在排水计划上,这取决于

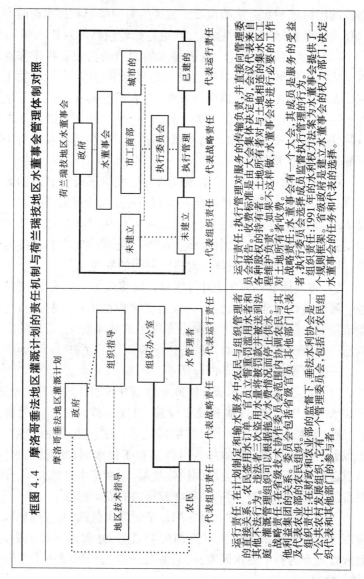

框图 4.4 摩洛哥垂法地区灌溉计划的责任机制与荷兰瑞技地区水董事会管理体制对照

潮汐的出口或抽水泵站的位置。较少的时间限制和排水历时会导致较高的服务标准,这种服务标准也意味着较高的服务成本。

(2)最大与最小水位。地表排水的适当的功能需要排水点的水位比在农田里的排水口低。最大的目标水位(该水位的发生概率是在同一地表径流的情况下发生)与农田的排水系统一起进行详细的制定。在水位沉降或氧化作用下,作物通过毛细上升作用吸收地下水分时,最小水位需要具体制定。这些最小水位与所控制的较高的排水沟有关。

(3)处理的可靠性。排水系统的容量取决于设计容量的大小和维护的状况。迟缓的维修在设计暴雨发生时会导致不必要的淹没历时。然而,延迟的维修会使渠道工程的未检测状态直到大暴雨发生时才得以改变。因此,维护标准与处理的安全有直接的关系,必须在制定系统的可靠性时进行简明的陈述。

(4)防洪标准。为免遭外部排水系统多余水分的淹没,必须对整个灌区进行安全保护,而非仅仅对灌区内的单项工程进行防洪设施建设。防洪标准通常根据洪水发生的频率制定,后续的安全措施一般按照某一洪水频率的防护标准进行工程加固。

一套典型排水服务条件包括:

(1)处置成本。排水服务的成本包括在排水区域内排水设施,例如水的集中存储、传输和处置设施,可能的处理工厂和处置地点,蒸发盆和防止外来洪水的防洪措施等。这些成本的内容取决于服务的收费政策。税收结构可以是基于排水面积的低税率,也可以进一步地开发和研究新的税收政策,包括排水口的大小、作物的价值或财产的保护、污染的程度或提供的安全标准。

(2)处置点。如果排水服务用途是附带条件的,并且限制因素应用于处置的评价和处置水流的质量监测,处置点就必须固定。通常处置点为整个集水区服务,它服务于农民的团体或工业区内的特定区域。为改善监测和控制装置,必须为用户分派单一的或具体的出口,这些用户都有重度污染的水流,这些处置点在服务合同里要写明。

(3)排水的限制条件。如果水被污染或排水承载区的容量已经达到或超过,就必须限制排水。排出的水流中包含了一系列的污染物,这些污染物包括高含盐量、来自化肥的营养物质、动物的圈栏排除物及杀虫剂的残余物等。环境制度可以建立水质标准,这些标准在排水服务中农民和灌溉管理处必须遵守。通常,外部的政府组织执行这些标准或由灌溉管理处代替政府执行这些标准。系统中各级灌溉管理部门可以执行这些环境标准,例如排水权利组织监测来自私有工厂的排放水流,同样系统出口必须遵守水流排放标准。

(4)处理特性。在限制性处理情况下,处理特性可以在战略和经济区域如城市、工业联合体及园艺场等。在这些情况下,其他区域仅仅在优先排水区域排除到预定的水位之后才能排除多余的水量。

(5)一年的服务内容。排水系统必须一年四季都发挥作用。然而,主要的维护和更新工作也是必要的,否则会限制或中断服务。因此,在干旱季节当大暴雨发生的概率很小或在作物的非生长期地下排水情况下,必须规划好设施的维护和更新工作。

4.6 服务协议和责任机制

根据规范灌排服务的内容需要真正起作用的制度,这些制度禁止、允许或需要采取一定的行动,描绘了灌溉处与客户之间的关系、执行的步骤和机制。这种规则概念的核心是,它们必须是强有力的。奥斯德姆曾在 1990 年说过,起作用的规则必须是普通的知识、可监督的并且是强有力的。普通的知识意思是每一个参与者都知道规则的内容和要求,知道别人对规则的理解,知道参与者对规则的掌握程度。因此,服务的关系和所提供的服务需要定义清楚,必须按照适当的明晰的管理步骤履行有效的管理机制。通过服务提供者和客户或通过客户服务协议将这些安排制度化。

4.6.1 服务协议

对于所有的服务关系来说,定义服务及其附着条件以及支付所获得的这些服务是必要的。这些项目必须是具体化的数字,并且是可以观测的,这样便于操作人员按照协议进行监测和控制。同时,可以以合同的形式将这些服务条款写入到服务合同中,这些合同应包含一些细节,例如组织要提供的服务标准、用水户的义务、组织机构和用水矛盾的解决办法等。

服务的合同条款包含了两个主要因素:①事务处理;②责任机制。按照灌溉供水、排水规范、客户的偿付能力和其他义务,事务处理主要涉及到所提供服务的内在本质关系的协调。

责任机制是为了确保服务提供者的责任和客户需要得到用水需求而设定的。服务条款及其偿付的安排可以根据既定的步骤调整。斯乃林教授于1996年曾确定了六个服务项目,这六个项目应在服务合同中具体说明,它们是:

(1)要提供的服务规范。

(2)用户要偿付的服务费用的数量。

(3)为证实是否履行了服务条款而进行的监督措施。

(4)双方不履行合同条款而负的法律责任。

(5)解决用水矛盾的相关权利机构。

(6)重新修订或提升服务条款应采取的步骤。

4.6.2 责任机制

在灌排组织机构中,三个重要的责任领域需要确定。这三个责任领域要求建立三个功能制度。这三个责任领域是运行责任、战略责任和组织责任(胡夫根,1996年)。

4.6.2.1 运行责任

运行责任包含了监督机制、评价过程、服务协议的控制和强制执行。它是由所有的监督步骤(需要验证管理处的服务标准的执行情况)和用户的服务渠道的诚信及偿付能力构成的。运行责任的核心是灌排组织与客户(用水户)之间服务合同的签订。服务合同执行中的关键因素涉及到服务传输与双方责任执行过程的透明度问题(框图4.5)。

框图4.5　奥斯德姆对作用规则的三个划分

• 运行规则:它反映的是用户日常中对什么时候、什么地方和怎样获取水量做出决定。

• 集体决策规则:一般在制定政策和运行规则时由外部的政府部门或私有者做出决策的模式。

• 机构选择规则:该规则决定谁有资格和具备一套具体的办法来做出集体的选择。

4.6.2.2 战略责任

战略责任与运行机制有关。用户必须控制服务合同的制定权。对于灌溉管理处与用户之间的磋商关系必须有明晰的约束制度。水用户和他们的代表可以参加灌排组织议事过程并提出批复意见。

4.6.2.3 组织责任

组织责任与用户影响组织战略决策的过程有关。用户可以通过各种方式,例如选举代表、管理者对利益的责任划分以及代表组织管理实体的选举形式等来影响这个决策过程,这取决于政治隶属关系。

4.6.3 既定的和公开的服务标准

服务标准早先定义为一套运行标准,该标准是由灌溉管理处与灌溉者、受影响的团体和管理灌排系统的政府部门协商设立的。这预示着一个咨询的过程,该过程包含了政府、用户和管理机构。这些管理机构的作用是建立既定的服务标准,建立服务标准涉及的程序和服务价格。用户的意愿和对服务的偿付能力取决于农业的利润大小、服务的责任和对拖欠水费的严厉处罚情况。

服务标准的条款受到物理环境(水利和土地资源的有效性)、管理环境(社会经济的、组织的和法律的具体内容)和水利基础设施的影响很大。服务标准的确立也是开发过程的一部分。在有效的责任制度中,这些过程需要一个不断的咨询、调整和适应过程。考虑到这方面,必须明确区分由需求决定的既定服务标准和供水需求要求的公开服务标准。服务标准中组织和客户之间的磋商程度与用户的认识差异有关。这些通常包含了从受益者的收回成本标准和政府补贴标准。由此,客户(用水户)在服务标准的制定过程中有不同的干预程度,其范围可以从客户参与到管理机构授权的服务。

我们曾谈到服务定向管理的问题。在这些服务中,服务的条款是基于简明的既定的服务标准和既定的成本标准。这些既定的服务标准是磋商结果。在磋商过程中,所有的利益集团(政府、灌溉管理处和客户)都要涉及到。所提供的服务标准应当与服务的成本相均衡。这些服务的标准有特殊的服务条款、服务目标和合同中规定的服务任务。在定向管理的服务中,客户的需求是最重要的。服务的提供者调整自己的管理活动以满足磋商过程中所提出的要求,而且管理组织的执行情况可以通过既定服务标准的履行情况得到衡量。

我们也谈到过定向管理的执行情况,这些管理是基于公开成本的服务标准。这就是说,对客户需求的回应具有较少的优先权。客户调整他们的农事活动以便得到适时的服务。这种情况通常发生在水资源短缺或把灌溉看做是满足社会需要领域。然而,服务标准与服务成本的平衡原则依然存在。在这种情况下,用户偿付服务费的价格是成本的一小部分。提供服务成本的剩余部分包含在政府的补贴里面。对于服务标准的清晰表述和责任机制来说,在获得高收益方面,公开服务标准与既定服务标准同等重要。这样经常缺乏公共管理系统,并导致水费不能足额收回,从而使补贴额达不到标准。由此,管理组织和客户之间的责任存在着严重的不负责现象。这也加剧了设施维修更新资金不足情况,从而导致了服务的低水平和灌排设施缺乏可持续利用。

第5章 服务标准、流量控制与管理的关系

> 每个人都知道一些水力学的知识,但几乎没有人能理解它……由于缺乏原则,一个人以较低的成本来批准一项工程,其成功只是暂时的。一个人做某一工程,却达不到应有的目的。一个人为国家、省和市取收大量的费用,没有成果却总存在损失,或至少在成本和效果利益之间不存在比例关系。
>
> ——布特,1786 年

在前几章中,我们讨论了战略规划和服务标准的概念,以及它们的制定过程。在本章中,我们将论述一些主要因素,这些因素使既定服务标准、水力控制设施及其管理布置得以贯彻实施。本章的主要目的是描述一下水流控制技术的范围,这些技术用在灌排服务中,并阐述一下与各类服务类型相关的水量定额。灌溉计划的运行与维护必须基于既定成本的既定标准。这个改变既应用于政府管理和拥有的系统也应用于私有化的管理系统。服务标准必须由涉及到的农民通过综合性的磋商过程做出决定。在这个咨询过程中,必须建立一个服务成本与服务标准之间的清晰的对应关系。这样,双方最终会签订服务合同,合同的内容涉及到服务的提供和责任机制。既定服务标准可以通过硬件—设施和软件—管理等来提供。服务的成本是由管理、运行、维护及在排水中为满足特殊服务标准的联合因素确定的。

5.1 服务的灌排标准

对于农田给水口的供水控制能力和对降雨或灌溉多余水量的处理大致上决定了灌溉系统的成败。在小型供水计划中，农民占多数，供水功能通常在第三级渠道中由用水户协会执行。由于涉及到供水服务条款和排水服务的复杂性，必然需要一套明晰的咨询规则和制度，以及传输、供给、分配和水处理等环节。而且，必须建立一套合理的责任机制以确保这些规则制度的实施。然而，这些制度和规则其侧重点不同。在灌溉服务情况下，灌溉和排水机构开发了一套与水量分配和用户或用户团体有关的制度。用户团体也开发了一套为自己成员进行水量分配的规则。在排水情况下，要求管理组织研究为不同客户服务的不同标准，例如针对城区、工业区以及农村地区的不同情况可以建立不同的服务标准。

水利基础设施和管理投入是组织赖以满足服务标准的两个关键要素。在提供服务过程中，两种资源的联合利用与分享决定了满足系统目标的能力。水力基础设施本身的类型在其运行过程中，在一定程度上有其内在的物理局限性。例如，上游人工控制系统不会很好地适应流量变化的需要，然而，研制性能好的操作程序和具有高技能的操作者能抵消这些制约因素的影响，并减少适应系统水流变化所需要的时间。

所涉及到的水力基础设施的特征和管理投入的水平必然形成在组织提供服务过程的一个整体。水力基础设施的特性可以随服务标准和类型需要的变化而变化。同样，组织成员的技能水平可以通过培训项目得到提高，培训项目的设立是用以支持管理服务目标的贯彻与实施。

5.1.1　灌溉服务标准

供水概念是指水流供应计划的决定方式。这个概念一般认同为两个定义:①战略标准;②运行标准。

在战略标准上,根据用户从系统取水的实践程度,应区分不同的服务阶段。在这个关系中,系统运行的三个主要类别可以区分如下:

(1)按需取水。用户可以不经过申请在任何时候抽取水量。

(2)按照申请要求取水。用户必须提前按照预定的开采时间签订用水订单。

(3)限制性取水。用户必须在灌溉管理处授权时间内获取水量。

在运行标准上,存在着三个主要的表征服务灵活性的变量,即水流流速、供水历时和供水频率。一些可能的运行情况可以从战略和运行类别的联合作用中获得,总结情况见表 5.1。按照运行变量在灌溉季节中的变化范围、预先设定值(不可修改的)或变量(可以修改的),我们可以进一步限制运行变量。

灵活性、适当性和可靠性是主要用于测量和判断既定服务标准的三种质量标准。在这个讨论中,服务标准被赋予供水的灵活程度和用户决定主要供水参数(流量、历时和频率)的自由程度。

最大的灵活性标准可以按照需求系统的要求获取。用户可以不必通知灌溉管理处在任何时间通过供水口直接获取水量。由于渠道系统容量的限制,有时人们对限制最大流量的流速制定制约因素,这些流量可以通过支渠分解到其他系统中。人们考虑通过强制的制约因素降低服务标准。

按需求供水意味着用户必须从灌溉权力部门订购水量。灌溉权力部门先评价用户申请再决定供水的流量、时间和历时,这与按照需求供水不同。评价过程包含的方面有水的可用性、渠道的设计流量、优先权、消费水权、共同的需求情况、旅游资源状况和突出的债务,该评价过程和来自源头的水传播时间需要一个组织传输的阶段。这个阶段随着每一项特别的计划的不同而变化。这些计划是根据水的有效性和传输网络的水力设计容量制定的。

表 5.1　　灌溉服务标准的分类(由胡夫根与马兰努提出,1997 年)

等级	服务标准	运行变量
Ⅰa	按要求,非限制性	用户可以在任何时候、任何流量取水
Ⅰb	按要求,一个限制性变量	用户在限制性流速、限制历时和限制频率的情况下取水
Ⅱa	按照请求,非限制性	用户可以根据流速、历时获取水量
Ⅱb	按照请求,一个限制性变量	用户可以根据流速和持续时间获取水量
Ⅱc	按照请求,两个固定参数	用户可以根据流速、时间和历时获取水量
Ⅲd	强制性,预先决定所有变量	灌溉管理处在预定时间、预定流速情况下供水

　　按照供水用户订购水量程度的灵活性,用户能够具体说明流量、时间、供水历时,或将一些限制因素强加于这些变量之上。由于所涉及到的预定期和需求的非确定性,按照需求分配的水量被认为是较低的服务标准。

　　从强制性服务我们可以获得最低的服务标准。在这种类型的服务标准下,权力部门基于一定的原则决定分配的水量和计划,这些原则包含一些用户的咨询和协商机制。在整个季节,灌溉管理处可以以运行计划的方式预先决定流量、供水历时和时间,而且这些因素保持不变。

服务的最高标准不是自动地形成一种最合适农民或灌溉管理处所期望的服务标准。通过开发更多的农田设施能够增加供水的灵活性。不是花费高成本而是来自农田系统的权力机构的灵活服务和对地下水的联合开采可以获得所期望的同一标准。在这些情况下，农民更喜欢廉价的方式和来自灌溉管理处的低服务标准。灌溉管理处提供的服务标准在某些情况下，由于政府政策的强制性制约因素而不会是最高的。如果由于水资源短缺，需要控制水量分配和分布以便向所有用户供水，那么灌溉处不得不提供较低的服务标准。

5.1.2　排水服务标准

排水服务的条款包含了排除多余水分以及受益者等，范围很广。由于地表径流形成，农业、自然和城市区域的地下水位和地表水位的控制需要，排水服务涉及到众多方面的多余水分的排除。

5.1.2.1　地表径流

在大多数情况下，排水服务标准的内容主要是排除来自降雨的多余水分。在这方面，服务标准直接与最短时间内排除水分的能力和期望值有关，那么排水的原则通常基于某一时间内标准暴雨径流的排除。这种暴雨径流可以转化为单位面积的设计流量，通常称为排水系数或排水模数。例如，在印度尼西亚，稻田的排水服务原则(1986年印度尼西亚公共工程部提供)是降雨排除法。对于较高的重现期和快速排除多余水量来说，服务标准也相应地提高。排水系统的设计容量对于排水服务标准来说是最重要的限制因素。在有坡度的区域，排水系统下游或下游最低点洪水风险会高些，因为在渠道容量限制作用下，渠道的设计承载容量已经被上游的径流占有。为了调整这些不公平因素，在排水服务条款中应限制来自农田或二级排水区域排放口的流量。这样，限制因素会影响排水的容量,但却确保了整个灌区的服务公平性。排放口流量与排水面积的大小、作物的经济价值以及灌区内其他财产有关。灌区的布置类型为建立排水服务标准与排水收费的关系奠定了基础。排放出口的容量越大,排放容量越大,服务的成本也越高。

在灌溉计划内,来自城区的暴雨径流其排放标准通常较高,因为城区内的屋顶或路面都是硬化的,径流集中,流量大流速急,为农村区域建造的降雨集水区通常不能够承载如此高的峰值水流。在城市需要修建滞水区或蓄水池增加承载能力以减少洪峰流量。在地势低洼或潮汐地区,排水的设计流量也是由排放口的设计容量决定的,例如在具有重力闸门或泵站的排放口,这种设计容量与排水区域本身容量有直接关系。滞水区、水闸以及泵站之间应进行优化选择。较高的服务标准意味着水闸或泵站的较大设计容量与较大蓄水容量的联合作用。

5.1.2.2 地下水位的控制

为了以下四个应用目的,地下水位的控制是必要的。

(1)防止作物根部淹没历时过长。

(2)防止盐渍化的地下水或海水进入根部。

(3)考虑到作物吸收毛细水分。

(4)防止泥炭土壤的氧化和形成酸性土壤。

最佳的地下水位随土壤情况的不同而变化,这取决于地形、作物和土壤类型。因为随着地域的不同,这些因素也在变化。与这些控制目标相关的服务准则可以根据具体的排水目的来体现。地下水位过高的可能性通常发生在以下情况,即保持水位平衡以防止土壤的氧化过程。由于农民管理着大部分土地排水系统,在某一概率情况下,服务的标准应针对接收多余水量的情况。在控制涝灾和灌溉引起的盐渍化情况下,地下水位上下起伏的幅度决定着排水服务的标准。如果在更大的范围内接受合适的地下水位，那么排水服务的标准会更高。这需要更细致地控制和管理水力设施，因此会提高服务的成本。对于基础设施（特别是水流控制和水量管理系统）、设备、投资和管理成本来说，所有这些服务等级都有具体的要求。对于所有这些服务来说，必须制定特殊的服务内容以控制系统水流。

5.2 流量控制的概念

流量控制系统形成了灌溉排水设施的核心内容。流量控制系统的目的是为了调节渠系水流和水位以满足既定服务标准的规范。可以通过控制原则和满足灵活性、可靠性、服务的公平性和适当性原理来表征这些规范内容，这些规范内容在第 4 章中已经阐述。

这里叙述与控制能力和满足灌排服务标准适当性有关的几个控制概念。这些概念包括：①控制的方法；②控制的逻辑关系；③系统的结构组合。在下面几节中，我们将讨论这些概念。重要的是要注意到这些概念讨论的内容，这些内容与水流控制系统为满足具体的服务规范所要求的能力有关。读者可以在各种出版物中发现对这些概念更细致的讨论（阿卡姆，1991 年；马拉特，1995年；布雅斯克，1991 年）。

5.2.1 水流控制方法

在明渠中，由于为满足供水需求进行操作系统的变化，流量和水位容易受到各种变化因素的影响。安装渠道调节器是为了达到操作目的，以满足系统中各供水点的需要，获得稳定的供水状态，如系统的期望状态。有几种水流控制方法可以达到这些目标：①固定的分流控制；②上游控制；③下游控制；④体积控制。

5.2.1.1　固定的分流控制

在水流控制中,必须区分固定分水结构系统和渠道闸门分水系统(拉斯特与斯乃林,1993年)。固定分水结构系统的特点是在渠道的渠首管理水量,辅助渠道和沿渠的各分水口则按固定分水结构分水,这些结构没有闸门。安装了闸门的分水系统与沿渠的各分水口相适应,以便水流在系统的各分水点进行调节。一般来说,管理者利用水位调节器维持恒定的水位以便控制分水口的流量。图5.1中显示了固定分水系统的两种不同类型的分水结构。

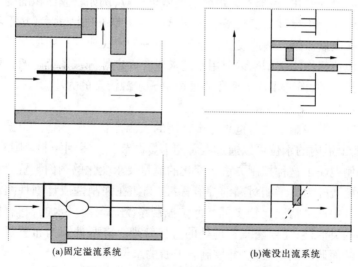

(a)固定溢流系统　　　　　　　　(b)淹没出流系统

图5.1　固定溢流系统与淹没出流系统

(1)固定溢流堰:每个堰的断面宽度与基于有效水的百分比的水权成比例。该控制系统也称为按比例控制系统。这些系统对于各流量级的流量提供了一个恒定的水量分配额。

(2)淹没出口:对于有限的不同水头范围,人们设计这些淹没出流系统是为用户提供恒定的流量。这些系统内按比例分配水量,对于干渠来说,对水位有一定的附带条件,这些干渠对于设计水位要维持一定的灌溉效益。作为这种系统的一个典型例子是巴基斯坦使用的姆加结构。在这些渠道中,水位不是由水量调节器来控制的,而是由渠道内水流的正常深度决定的。在操作过程中,渠道以设计流量或接近设计流量过流。

只要水量分配数额保持恒定,按照基于单位面积的有效水的百分比或每个家庭或个人的百分比,这些系统在满足公平原则的运行实践中是特别有效的。意思是说,系统是固定不变的,对于农业因素的变化,系统不会很容易地做出反应,例如农业面积的变化或河流大小尺度的变化等。由于这些系统是基础性供水,几乎不存在限制流量以适应变化的情况。单一的农民或用户团体会通过谨慎选择作物类型来调节用水需求量。固定的分水系统一般是可以预测的,但是水流的变化高度取决于水源流量的大小。

5.2.1.2 上游控制

上游控制方式是世界上最常用的水流控制类型。通过上游控制,渠道内的水位可以通过上游的水量调节阀门得到控制。图5.2举例说明了这种控制方法。变化的流量要求变化的闸门装置。它为灌溉处提供了相对高的控制标准,例如在强制性或计划性灌溉服务中这种情况比较多见。上游控制系统是定向供水的,它有较小的灵活性,需要灌溉管理处的直接管理。有两种结构布置建立在断面调节的基础上,并控制着上游的水位。

(1)固定断面调节:挑流堰要求稳定的水头流量条件。虽然这些调节器是固定的,但变化的水位可以通过可移动的调节器进行控制。

(2)有闸门的调节:渠道本身的闸门可以用来管理个别流量时的水位。这些大范围的系统是通过人工控制的,但是更多的现代系统利用自动系统,例如水力系统和电子系统。出水口的闸门在

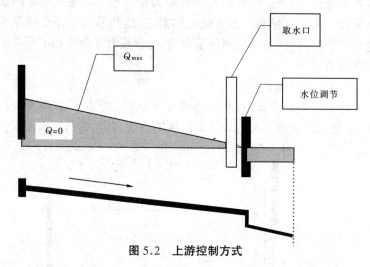

图 5.2　上游控制方式

执行供水规范中起到了关键作用。服务的方式决定了适当取水口的选择。

例如,如果按照固定流量和变化的历时供水,那么下泄门或开关门是合适的,因为这些门为上游的水位提供了恒定的流量。如果服务标准包含了可变的流量和固定的历时,那么与测量装置相互连接的可移动门是必要的。对于这两种选择,将主渠道水位维持在一定的波动范围内是很重要的。取水口与水位调节器的联合作用决定了主渠道内水位波动的范围。在服务协议中,水位变化的最大范围必须进行具体说明。当服务协议中的变化因素变少时,按照更频繁的监测要求和运行调节规则,需要投入大量的服务管理费用。

带有横向闸门调节器的系统比带有固定调节设备的系统更具有灵活性。对满足用水需求更加具有灵活性的水量分配计划,这些调节器是非常重要的。有了这些系统,管理计划的执行更加具有可操作性,因为这些系统允许供应大量的水以满足水需求的短期变化。按照可预测性和变化性的需求,这些系统也存在可靠的挖掘潜力。但是,如果管理环节薄弱,也存在着非公平和不可靠的服务标准。

5.2.1.3 下游控制

在下游控制方式中,水位是通过下游侧的水位调节器来控制的,如图5.3所示。人们设计下游控制系统,其目的是对水需求做

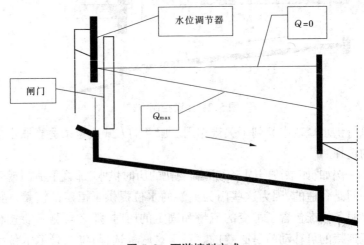

图5.3 下游控制方式

出立即的反应。大多数下游控制系统使用平衡闸门,这些闸门直接按照结构下游水位的变化而启闭。这样,控制系统变成了自动调节装置。下游控制方式消除了回应时间及其相关的操作损失。同样,管理投入也相应地减少了。但是,下游控制方式的应用需要较高的成本投入,因为闸门的费用高并需要垂直升降的渠道岸坡。在渠底坡度为 $0.2\sim0.3\mathrm{m/km}$ 的地方,这些需求限制了下游控制方式的应用。当总的供水量超过水的有效供应时,下游控制方式

是不适用的。在这种情况下,会产生非公平性,因为系统满足用户的需求时上游面积得不到供水。

5.2.1.4 体积控制

通过对任何水力状态的即刻反应,体积控制会调节渠道内水的体积。这涉及到对水位连续不断的监测过程。这种过程是通过渠道和对水力控制结构的运行调节来实现的,以维持每个渠道内水量处于恒定的流量状态。通过这种类型的运行,控制结构的水面会围绕位于近似结构中心的中枢点旋转,如图5.4所示。

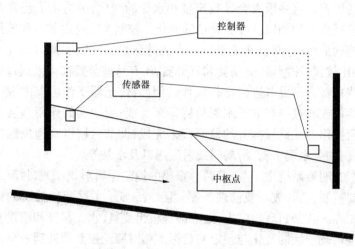

图5.4 体积控制方式

体积控制方法一般以灵活的方式来满足不同用户的运行需求,因为该方法对需求条件的变化提供了迅速便捷的行为服务。执行这种控制方式需要控制结构的自动化以便应付中心监测和控制,这涉及到遥感网络和发射。遥感设备通过系统收集信息并通过中继站传递指令到控制结构和泵站。控制的逻辑原理是通过一套适当的计算机运算法则来实现的。实际上从属的运行是通过电子监测系统来实现的。

5.2.2　控制逻辑

应用于机械工程的系统工程控制概念也能够应用在渠道系统的灌溉排水中。明渠水流的特征是水流暂时的控制时间可以改变以达到运行的目标。应用在系统中的控制逻辑原理决定着系统获得期望状态的方式，以满足服务目的和标准。

控制系统的主要目的是压力的控制，这种压力是建立在具体的操作目标之上的。例如，水位和流量，这些因素容易受到外部干扰的影响。这些因素会导致流量和水深的变化，因为水流经常存在着减少或增加以及控制设备的变化。控制系统是由硬件和软件设施构成的，这些设施用以修正水流的参数。这些设施包括传感器、比较仪、控制器、促动器和调节器，所有这些装置都可以通过人工或机械自动设备进行运行操作。例如，传感器工作可以由人工的测量或通过一套电子水深传感器来完成；促动器的作用是通过闸门操作器或机械提升的监测门来完成；调节器用以管理控制过程，例如分水调节器、滑动门或射流堰以及水泵等。

在明渠系统中，存在着两种重要的控制逻辑形式：①密封环或反馈控制；②开放环或前馈控制。图 5.5 显示了这两种控制的作用原理。在密封环控制中，处理过程输出变量（水流深度和流量），这些系统干扰的变化与预定的目标值相对照。控制器处理来自目标点的偏差并向促动器发出纠正指令以便调节器进行参数调整。这是一个系统的连续调整过程，系统在调整过程中始终处于良好状态。从理论上讲，这些功能既可以人工执行也可以机械自动操作。执行这些调节的操作器的能力，通常受到物理容量和水力系统的稳定程度所限制。地方控制和中心控制联合作用可以执行反馈控制，在下节中将对反馈控制做详细论述。

在开发系统中，系统所期望的状态是由基于具体的服务标准

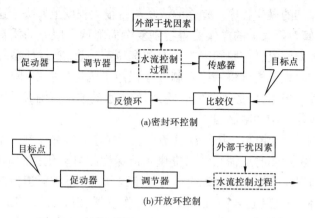

图 5.5　密封环控制和开放环控制系统操作过程

的原则决定的。如在密封环系统中那样,系统控制和调节器的操作也是采用同样的方法,除非目前的输出过程变量由于系统的混乱不能进行调节。在人工控制系统中这种情况经常发生,因为在这种情况下,操作人员按照从中心操作室发出的指令进行控制,而监测和调节没有进一步地执行。然而,在操作中,如果操作的结果与期望的变化很大,那么就没有可以执行的服务内容。

5.2.3　系统的内部结构

　　控制系统的执行包含了一套控制器、促动器以及控制变量的连接过程。这些因素可以按照其各自的空间分布,以各种方式进行布置(布雅克,1991 年):①就地人工控制;②就地自动控制;③监测控制;④联合方法控制。

　　在灌溉中,就地人工控制是最常用的渠道控制方法,由机械设备例如机械提升的监测门可以完成促动器的任务。灌区里的操作人员通常按照控制中心发布的指令进行操作,以调整渠道结构来满足服务的需求。控制方法的类型是复杂的,并需要好的通讯设备和详细的操作程序。操作的成功与否很大程度上取决于这些因素,尽管在干渠上的操作变得特别复杂而降低了服务的质量。如果灌区操作人员按照间隔方式监测和调节装置,密封环系统就可以运作。人工控制将一些限制因素强加于流量供应中,限制了其灵活性。但是,服务规范的公差,例如供水的波动范围必须考虑到这些操作类型的限制因素。

就地自动控制依靠控制设备来执行操作。这种控制类型通常取决于密封环的反馈系统以提供水流深度的自动化控制的服务。一些商用的设备已经为就地自动化控制也为上下游渠道控制研制出来,例如 AMIL 闸门、Little Man 操作仪器、ELFLO、AVIS／AVIO 装置等(马拉特,1995 年)。在使用这些控制结构时,人为的干预对于水流调节来说是不需要的,尽管周期性监测和维护检查是必要的。如果合理地进行安装和维护,当地的自动调节器能够使灌溉组织提供更高标准的服务,并满足更强有力的服务规范标准。

通过中心监测控制的明渠操作系统可以通过中心遥控来完成,这种控制中心集中了所有渠道系统的信息。这种控制类型通常称为监测控制和数据获取(SCADA),它包含了系统在多个点上的水流状态(监测)和需要调节系统多样化结构的控制行为。所有的监测和控制行为既可由人工操作也可以通过计算机运算来执行以达到所期望的系统目标。操作者通常依靠适当的计算机运算原理来决定控制行为,这些行为主要用来纠正水流的深度和监测信息的流量。由于系统由中心控制,系统操作员能按照多功能控制结构和系统水泵减少系统的反应时间。

利用体积控制方法的水流控制系统必须充分依靠整体计算机运算法则并通过渠道系统来启动,例如在法国这种情况就比较普遍(罗格,1987 年)。另一方面,适合于 SCADA 系统的上游控制系统依靠人工控制,这种控制由适当的计算机驱动决策支持系统来辅助。

渠道系统的控制经常依靠联合控制方式来完成。上面描述的四种控制方法可以在渠道系统中共同存在,这种情况经常发生在升级的渠道系统中。在这些渠道中主渠道是由中心控制的,较低级的渠道是由地方通过人工或自动化进行控制的。

5.3 排水系统中的水流控制

排水服务所需要的操作目标与灌溉服务形成了鲜明的对照。如在5.1.2节中所阐述的,排水服务其目的主要集中在排除来自地表的多余水分或用于控制地下水位的水分。地下水位会由于多余的降雨或多余的灌溉水而不断提高。在这两种情况下,主要排水系统的功能是将水排放到系统出口。在一定的条件下,主要排水系统控制着作物生长需求或防止土壤氧化过程所需要的水位。上游控制方法一般用于排水渠道内水流的控制,以便渠道内的通航或地下水管理。排水渠道内的水位控制可以通过上游控制结构或下游蓄水池的结构控制来达到。

在排水渠道中,很少使用下游控制方法。只有当对排水系统的峰值流量进行削减时,才使用下游控制方法。下游控制方法会形成渠道系统中的水位正增长或使水量溢出到另一个蓄水系统中。渠道内较高的水位也限制了排水区域内排水的溢出流量。排水服务所选择的标准必须根据排水容量或排水系数进行具体说明。

5.4 服务标准与水流控制系统

有些水流控制系统比其他系统在满足特殊服务标准方面更具有适应性。一个特别的水流控制系统的适应性,在提供特殊服务中是由系统操作中的关系决定的。这些操作是必要的,水流的水力特征控制着系统的各类功能。总之,适应水流变化因素影响的水力控制方法能较好地适合于提供更加灵活的服务内容。例如,下游自动化控制系统很好地适应于水流流速的快速变化,这使得用户在不通知管理处情况下抽取水量成为可能。因为一旦没有水量利用的限制,水流很容易调节。另一方面,人工控制系统会花费很长时间适应这些变化,系统波动性也会变得更大。然而,同样的服务标准可以通过不同的技术获得,通过中心控制系统获得同样的灵活性和反应机制也是可能的。在既定的财政和社会经济条件下,工程管理技术的选择最终变成了实践活动。

按照需求服务可以通过一定范围的水流控制来提供,尽管不同的适应性能取决于所需要的灵活性。如果没有大量渠道调节所涉及到的水流流速、足额性和既定供水时间的限制,那么上游的人工控制系统在提供需求服务中就会有许多困难。服务类型的安排经常迫使操作者按照较大的水量运行系统以便减少供水风险,并降低预先通知时间内在系统的末端导致的较大损失。然而,如果限制一个或两个服务参数,这些操作能较好地处理用水服务。

特殊服务标准的提供有具体的人员配给,这点必须给予充分的考虑。从原理上讲,根据技能水平和操作设备数量,每项设计都有内在的人员配给需求。一般的人员需求和涉及到的各类服务成本在表5.2中进行了总结。然而,必须认识到,对于每一项服务表5.2中的分类具有分散的程度和人员配给的不确定性。实际上,标准的适当原则随连续的操作方式而变化。职员的操作技能或能力是决定人员水平的主要因素。

5.5　水流控制与管理投入的关系

在人员需求和水力控制方法之间存在着一定数量的替代关

表5.2　各种水流控制系统和服务标准的适应性与人员需求

服务标准			运行参数				水流控制系统				人力资源	
	供水等级		流速	历时	频率	Prop	UC Man.	UC Aut. Loc	UC Aut. Cent	DC Aut.	HR No	HR skill
按照需求	非限制	I a	V	V	V	N.A	--	--	0	++	++	0
	限制流速	I b_r	C	V	V	N.A	--	--	0	++	++	0
	限制历时	I b_d	V	C	V	N.A	--	--	0	++	+	0
	限制频率	I b_f	V	V	C	N.A	--	--	+	++	+	0
	非限制性	II a	V	V	V	N.A	--	-	+	++	--	-
	固定流速	II b_r	C	V	V	N.A	-	0	++	++	0	0
	固定历时	II b_d	V	C	V	+	-	0	++	++	-	0
	固定频率	II b_f	V	V	C	+	-	0	++	++	0	0
按照申请	固定流速+历时	II c_{rd}	C	C	V	N.A	0	+	++	++	0	0
	固定流速+频率	II c_{rf}	C	V	C	N.A	0	+	++	++	0	+
	固定历时+频率	II c_{df}	V	C	C	+	0	+	++	++	0	0
强制性	固定流速+历时	III c_{rd}	C	C	V	N.A	0	+	++	++	+	0
	固定流速+频率	III c_{rf}	C	V	C	N.A	0	+	++	++	+	0
	固定历时+频率	III c_{df}	V	C	C	+	0	+	++	++	+	+
	所有都固定	III d	C	C	C	N.A	0	+	++	++	+	+

注：Prop＝比例；UC＝上游控制；DC＝下游控制；HR＝人力资源；Aut＝自动化；Loc＝地方或当地；Cent＝中心；No＝数量；C＝固定的；V＝变量；N.A＝非应用的；- -代表非常不受欢迎的；-代表不受欢迎的；0代表中立的；+代表受欢迎的；++代表非常受欢迎的。

系。这些水流控制方法取决于服务的类型，这些服务类型提供一定的水力基础设施。从理论上讲，在选择特殊的水流控制方法以提供具体的服务标准时存在着一定的灵活性，因为几种水流控制类型对于提供服务标准来说是足够的。水流控制技术的类型和管理投入之间的平衡关系提供了控制方法的灵活性。但需要强调的是，替代管理产生控制的能力只有在一定的限制条件下才会产生。对于某一水流控制类型来说，提供任何的服务是根本不可能的。例如固定分水系统中，按比例控制方法不能用以提供严格需求服务或即时服务。

在安装结构时，结构设计图案需要精心制作以完成调整任务。固定系统只在主要渠道的渠首进行操作，这样需要最小的操作费用。安装闸门的分水系统需要较大的运行投入，因为每个取水口的结构及其相关的水位调节器需要经常进行调节。这些投入与调节器的数量按正比例增长。但是，操作系统可以通过人工、自动、地方或经由遥控方式进行调节。通过上游控制系统获得灵活性供水需要额外的人员投入和完整的通讯设施以应付更加集中的渠道调节。在系统从一个稳定的状态到下一个新的稳定状态下，系统对水流变化的反应时间也需要进行调整。中心遥控特别适合于解决这些制约因素并增加服务的灵活性。下游控制系统几乎能立即对由用户抽取水量引起的水流变化条件产生反应。

在提供一套服务标准时，人工控制方法和自动控制方法同样有效。假如没有增加人员水平和通讯的限制因素，设施硬件与人员水平的平衡关系更加明晰。自动控制能根据数量减少人员需求，但是对于专家的水平和人员的技能要求更加严格。

5.6 标准与服务成本的联系

在前几节中,利用各种水流控制技术提供不同的服务标准的可能性已经讨论论过。由此,我们可以得出结论,服务标准之一可以利用集中水流控制技术提供;相反,水流控制方法之一可以用于提供不同的服务标准。但是,利用给定的水流类型提供高标准的服务内容需要额外的人员配给,这些配给人员要有熟练的服务技能来完成系统计划的运行或执行。换句话说,为提供一定的服务标准,水流控制与管理可以在一定的限制条件下互相替代。

表 5.3 举例说明了管理与所涉及到的不同服务标准的基础设施成本之间的关系,在第 6 章我们将讨论这方面的内容。特定服务标准的成本是指运行、财产保护、财产的折旧以及投资的回收。由政府拥有和操纵灌溉计划甚至将计划私有化来说明灌溉与排水的投资回收率是不寻常的。运行成本主要由人员数量和所需要的职员的技能水平决定。这些技能主要包括水流基础设施、相关计划及设备的运行操作,在水流自动化控制与系统操作所需的人员数量之间有着反比的关系。但是,较高的技能水平需要用于操作系统并依靠自动化或上游水流的控制方法来提供灵活的服务。

许多灌溉处广泛地利用上游传统的水流控制方法提供大范围的服务标准。在澳大利亚的玛丽-大岭流域的几个灌区利用同一传统的上游水流控制方法为客户提供了按申请需求的供水服务;服务标准可以通过高技能的人员和开发良好的运行程序来实现。在摩洛哥的垂法灌溉计划中,上游控制方法与当地的自动化系统联合使用提供了较低的服务标准,但是却获得了高运行效率(框图 5.1)。这是一个可能实现的例子,它存在于水流控制技术与管理的关系之中。

表 5.3 不同水流控制系统的服务标准(LOS)和管理投入

LOS	比例 人员 S	比例 人员 No	比例 基础设施 I	比例 基础设施 M	比例 水 Eff	上游人工控制 人员 No	上游人工控制 人员 S	上游人工控制 基础设施 I	上游人工控制 基础设施 M	上游人工控制 水 Eff	上游自动化与地方联合控制 基础设施 人员 No	上游自动化与地方联合控制 基础设施 人员 S	上游自动化与地方联合控制 基础设施 I	上游自动化与地方联合控制 基础设施 M	上游自动化与地方联合控制 水 Eff	上游自动化与中心联合控制 基础设施 人员 No	上游自动化与中心联合控制 基础设施 人员 S	上游自动化与中心联合控制 基础设施 I	上游自动化与中心联合控制 基础设施 M	上游自动化与中心联合控制 水 Eff	下游自动化与地方联合控制 基础设施 人员 No	下游自动化与地方联合控制 基础设施 人员 S	下游自动化与地方联合控制 基础设施 I	下游自动化与地方联合控制 基础设施 M	下游自动化与地方联合控制 水 Eff
Ⅰa	na	na	na	na	na	－	－	0	－	na	－	－	0	－	－	0	－	－	－	0	＋＋	0	－	－	＋
Ⅰbr	na	na	na	na	na	－	－	0	－	na	－	－	0	－	－	0	－	－	－	0	＋＋	0	－	－	＋
Ⅰbd	na	na	na	na	na	－	－	0	－	na	－	－	0	－	－	0	－	－	－	0	＋＋	0	－	－	＋
Ⅰbf	na	na	na	na	na	－	－	0	－	na	－	－	0	－	－	0	－	－	－	0	＋＋	0	－	－	＋
Ⅱa	na	na	na	na	na	－	－	0	－	0	0	－	0	－	＋	＋	－	0	－	＋	＋	－	－	－	＋＋
Ⅱbr	＋	＋	＋＋＋	＋＋＋	na	－	0	＋	0	0	＋	＋	＋	＋	＋	＋	－	0	－	＋＋	＋	－	－	－	＋＋
Ⅱbd	＋＋	＋＋	＋＋＋	＋＋＋	－	－	0	＋	0	＋	＋	＋	＋	＋	＋	＋	－	0	－	＋＋	＋	－	－	－	＋＋
Ⅱbf	＋＋	＋＋	＋＋＋	＋＋＋	－	－	0	＋	0	＋	＋	＋	＋	＋	＋	＋	－	0	－	＋＋	＋	－	－	－	＋＋
Ⅱcrd	na	na	na	na	na	＋	＋	＋	0	0	＋	＋	＋	＋	＋	＋	－	0	－	＋	＋	0	0	－	＋
Ⅱcrf	＋	0	＋＋＋	.0	0	＋	＋	＋	.0	0	＋	＋	＋	＋	＋	＋	－	0	－	＋	＋	0	0	－	＋
Ⅱcdf	＋	0	＋＋＋	.0	0	＋	＋	0	－	－	＋	＋	＋	＋	＋	＋	－	0	－	＋	＋	0	0	－	＋
Ⅲcrd	na	na	na	na	na	＋	＋	＋	0	－	＋	＋	＋	＋	＋	＋	－	0	－	0	＋	0	0	－	0
Ⅲcrf	＋	0	＋＋＋	－	0	＋	＋	＋	.0	－	＋	＋	＋	＋	＋	＋	－	0	－	0	＋	0	0	－	0
Ⅲcdf	＋＋	＋	＋＋＋	＋＋＋	－－	＋	0	0	－	－－	＋＋	＋	＋＋	＋	＋＋	＋	－	0	－	0	＋	0	0	－	0

注：－代表非常不受欢迎；代表不受欢迎；0代表中立；＋代表受欢迎；＋＋代表非常受欢迎；na代表不可用；No代表数量；S代表技能；I代表投资；M代表维护；Eff代表运行效率。

框图 5.1　两种灌溉计划的管理、水流控制和服务标准的比较与分析

摩洛哥垂法灌区	澳大利亚戈本中心灌区
描述	

垂法灌区（36 160hm²）位于摩洛亚河右岸，是摩洛亚河流域四个灌区（总面积 71 000hm²）之一。摩洛亚河流域位于摩洛哥的东北部，属于半干旱的地中海气候，具有较低的年降水量，平均为300mm，年内变化在 150 ～ 450mm 之间。降雨主要集中在每年 12 月、1 月和 4 月份。该地区的供水主要来自摩洛亚河，年均径流量为 800m³/s，水短缺现象时有发生。在摩洛河段，利用泵站抽取额外的尾水，流量大约为4m³/s。每年大约有 100Mm³的水量利用水泵从摩洛亚河抽取后输送到大约 95m 高处，然后进入垂法灌区的主渠道。垂法灌区也供应高质量的地下水。地下水一般用于补充灌溉水的不足。

戈本中心灌区位于维多利亚州，占据了玛丽－大岭流域南部的大部分地区。戈本河的流域面积主要集中在东部和北部地区，属于半干旱气候，年均降水量为400mm。年内降水范围一般在250～900mm。年内降水分布不均，是夏季灌溉需求的主要影响因素。该灌区主要靠艾顿水库供水。艾顿水库坐落在戈本河上，总库容为 3 390Mm³。水库释放的水经由戈本河流到戈本堰。在戈本堰，水流分叉为两个支渠，玛丽渠道和凯覃渠道。该灌区修建于 20 世纪初，1955 年竣工。

| 水利基础设施 | |

水流从麦卡挡水堰转向。该堰由水位调节器以及一组挡水设施构成。进水口的流量调节按照500L/s 进行。主渠道也为几个社区供应大约 500L/s 的流量，用于卫生和饮水。主渠道由水泥衬砌，长大约为 155km。主渠道内的水流调节通过控制结构的联合作用来完成，例如鸭嘴形挡水堰、综合控制闸门，AVIO 下游控制门和 AMIL 上游控制门等。进入二级渠道的水量是由 Neyrpic

戈本中心灌区的水力基础设施是由一套典型的上游控制系统完成的。这套系统依靠干渠的横向闸门调节器、活动挡水堰和次级渠道的闸门调节器联合作用进行水流控制。对农民的水量分配一般通过闸门和仪表控制来进行。这些仪器能够计量水流的体积。最近以来，一些关键的横向调节结构已经安装了监测装置，并通过 SCADA 技术控制。

摩洛哥垂法灌区	澳大利亚戈本中心灌区

水利基础设施

闸门分布点控制的。二级渠道内水位由半圆形的水泥砌筑渠道抬高。较低的流量水位是由鸭嘴形堰来控制的。下游农民的水量分配是通过分配箱内的开关门来完成的。

组织安排

灌区管理是摩洛亚地区农业开发署的责任。开发署成立于1966年,是具有财政自治的公共机构,隶属于摩洛哥农业部。水费由ORMVAM负责收取,并大致用于补偿运行费用。水价由政府授权,不足数额由政府财政补贴。工程的扩展或修复费用由政府从国际代办处借贷以弥补资金的不足。

灌区管理由戈本地区的农村水利协会承担。农村水利协会是公共公司,成立于1994年,它继承了前州立协会的制度。现在提供的灌溉服务,包括现有资产的未来替代服务内容,按照20年折旧期限。资产的更新内容占巨大的份额,大约是总水价的44%。当前的水价包括了所有的灌排服务中发生的费用。资产管理为设施的费用提供了基础,以确保设施能无限地维持下去。

服务合同

农民与ORMVAM的服务关系通过水的管理者建立起来,可以通过选择作为ORMVAM政府委员会和省级技术委员会成员的农业协会来代表农民的利益。没有正式的合同关系用以灌溉管理处与农民的利益关系。只有当他们在某一区域内正式地登记为土地拥有者和具有代表权的用户时,才能获得供水服务。此外,如果按照官方制度购买了土地,也可以享有供水服务。目前,农民获得了一项承诺,即如果农民参加灌溉协会就可以获得灌溉服务。这样形成了一种合约,即农民在至少3年内必须缴纳水费。

戈本农村水协会和农民的关系是通过管理处与水服务委员会之间的合同来约束的,该委员会代表了客户的利益。合同中没有说明代表团体或个人的责任和义务,但却规定了协会与客户的合作关系。水利协会与农民的法律责任由水法案、环保法案以及职业健康与安全法案进行了具体的规定。客户的利益也代表了公司委员会的利益。

摩洛哥垂法灌区	澳大利亚戈本中心灌区

服务标准

水分配的基本原则是,每一个土地所有者通常在每个灌溉周期内接受到预定的水量。水的体积取决于作物、一年内的种植时间和水库水位。按照 ORMVAM 设定的水价,灌溉处以固定的流量将水供应给农民。在规定的时间内,农民可以接收到全部的水量。对于依靠水的有效性进行灌溉的各类庄稼,ORMVAM决定着灌溉周期的执行情况、历时和每公顷的水量体积。农民签订属于自己份额的购水订单,订单上具体说明了灌溉日期、时间、供水历时、流量和用于计算水费的水量总体积。垂法灌区的农民是按照政府制定的水价和基于水量体积的原则来缴纳水费的。这个水价在摩洛哥全国适用,但垂法灌区并没有覆盖所有的系统运行费用和维护费用。水的平均成本大约是 US＄0.03/m³。提水灌溉要额外增加费用,按照 US＄0.015/m³ 收取,有压喷灌按照 US＄0.022/m³ 收取。目前,价格中还没有包含分期付款部分(胡夫根,1996 年)。

戈本农村水利协会提供的标准服务包含了非限制性按申请服务的内容,这样客户可以选择流量和灌溉起始时间。灌溉处要求用水客户必须提前四天预定供水,并将每天的供水量计算准确。尽管灌溉处允许较短的预定时间,但是具有预定时间的客户总是得到优先权。执行监督系统是为了弄清楚客户的满意程度和服务目标的获取。灌溉处与用户之间的服务协议建立了 86％ 的具体服务目标。这些服务内容通过用户按照预定的日期供水,其间年服务执行情况可以得到评价。

在戈本中心灌区的水价是 US＄0.021/m³。水价结构有两个组成部分。客户要为固定水权部分缴纳费用,附加费用按照用水的体积计算。水量分配随年内情况变化而变化,它取决于气候条件。水目前的价格是基于所有成本的,包含了长期的财产更新的年金部分。

特征	摩洛哥垂法灌区	澳大利亚戈本中心灌区
1.气候 年降水量	大地中海半干旱气候 250mm	半干旱气候 450mm
2.水资源	Mohammed 水库	Eildon 水库
3.控制面积 有效面积	36 000hm^2 36 000hm^2	173 050hm^2 113 400hm^2
4.水利基础设施 • 主渠道 • 次级渠道 • 三级渠道	 衬砌的梯形渠道 半圆形的提升管道 衬砌的土质渠道	 土质的 土质的 土质的
5.水流控制 • 流量、水位调节 • 三级渠道 • 二级渠道 • 主渠道	 尼皮克模型 上游控制,开关闸门 上游控制,固定堰 上下游联合控制,部分 自动化	 闸门 + 仪表 上游控制,可移动堰 上游控制,扁平门和堰 上游控制,闸门和堰
6.灌溉方法	重力灌溉方法,占流域 的 79% 提水灌溉方法,占流域 的 20% 有压灌溉方法,占流域 的 1%	重力灌溉 + 畦灌 (95.5%) 有压灌溉,占 4.5%

特征	摩洛哥垂法灌区	澳大利亚戈本中心灌区
7. 主要作物	柑橘类:42% 蔬菜:28% 小麦:21% 其他:9%	牧场:96% 园林和蔬菜:4%
8. 组织类型	公共公司	公共公司
9. 服务标准	按照申请,固定流量,固定频率和可变历时	按照申请,非限制性
10. 服务成本(1996 年)	US $ 0.030/m^3	US $ 0.021/m^3
11. 回收成本	部分回收,补贴财政赤字	全部回收,包括财产关心年金
12. 服务执行	目标:按照既定的服务协议提供服务	目标:86%的订单按日要求提供供水服务
13. 讨论的结论	首要的例子是,客户与灌溉管理处的关系协调,否则按照法律程序执行	首要的例子是,客户与灌溉管理处的关系协调,否则按照法律程序执行

　　水流控制方法与管理之间的相互转换也体现在系统的运行效率上。从理论上讲,不管时间的需求连续不断地以最大设计流量放水并利用人工操作上游系统来满足按需供水是可能的。然而实际上,这种运行方式当水量需求较少时(例如雨后)会导致水量的巨大浪费。水流控制结构的数量和它们的私有成本首先决定了维

护成本的大小。复杂的机械化结构一般有它们的维护成本并对维护标准反应敏感。这对于全面自动化系统的实现具有巨大的意义。这些控制系统依靠计算机控制,有大量的传感元件以及控制器等,这些器材很容易遭到破坏。而且,这些仪器的配件很容易受到特殊服务的影响,一旦毁坏必须从国外买回。由于外汇的限制,这在一些国家经常产生后勤上额外的困难。

折旧率通常是最大的成本项目并用于反映基础设施的耗费率。起始费用和基础设施的使用寿命决定了折旧率的大小,包含了自动化高水平的水流控制系统需要较高的起始投入。这并不意味着服务寿命由于不适当的维护而缩短,其折旧成本就相对高。这里讨论的基础设施投入和为满足一定的服务标准的管理之间的平衡关系是基于一定的耗费成本的,即服务的标准已经定义为管理处综合战略规划的一部分。因此,服务标准有一定的原理基础。这些原理的主要内容是,培训计划将合理地支持战略规划以达到战略目标,并确保职员在获得熟练的工作技能来完成系统的运行同时维护好所选择的水流控制设施。

第6章 灌排基础设施的管理

> 建设—损坏—修复的发生周期通常排除了灌溉供水
> 的及时公平的水量分配原则。此外,这种周期性建设会
> 导致农业产量的停滞。工程的建设阶段加重了国家的债
> 务负担,这已成为许多国家面临的很头疼的问题。
>
> ——斯格博,1990 年

与工业资产不同,灌排基础设施资产具有非常具体的特点,例如分散特征以及与管理组织的财政周转相关的高成本。而且,灌排基础设施资产有与其执行的功能相关的具体的水力特性。从传统意义上讲,灌排组织对于基础设施的管理并没有太大的重要性。但是,管理却是关键的一环,因为管理组织需要按照服务行业的特征对待灌排事务,他们对提供的服务成本表现了极大的关注。资产成本通常代表了与服务条款相联系的最大成本。为了以可持续性方式和成本有效运用方式提供服务,必须采取一种寿命周期的方法管理组织的财产,这包含了资产管理项目的执行。这些项目由几个综合的功能构成,包括财产的生产计划、运行与维护、资产条件、执行监督、财产审计和资产更新。财产的管理计划必须被看做是组织总战略计划的一部分。由此,对于资产的开发与执行必须给予充分地注意。

6.1 财产管理程序的基本原理

灌排机构依靠基础设施履行服务义务。灌排基础设施由大量

的私有资产构成,包括挡水坝、渠道、控制结构和水泵等。但是,与工业和商业产品不同,灌排资产通常分散在整个灌区内。灌排计划的范围延伸到十公里甚至上百公里都是很正常的。如在第5章中解释的,灌排资产的一个显著特征是与水力结构资产管理密切联系。对于水力基础设施的依赖通常会导致灌排收费相对较低的财政收入。

较低的财政收入对灌排管理组织来说,形成了比城市或工业供水更大的挑战。尽管资产基础很重要,但是大部分灌排组织并没有对管理给予足够的重视。这种情况的形成是基于以下的事实,过去几乎没有灌排组织按照商业的运作模式运行。商业的运作模式需要对客户、政府和其他股权持有者担负责任,对资产总体水平的准确信息一般不可获知。随着灌溉组织生产能力的提高,清楚地量化服务内容变得非常迫切。如早先指出的,大量的基础资产包含灌排组织的内容,这些占运行成本的大部分。

与其他工业和商业活动不同,灌排基础设施主要由一些固定资产构成,例如挡水堰、渠道、控制仪器和排水渠道等。这些固定资产的经济寿命一般在20~50年。对于主要的资产例如堰和坝的寿命更长些,一般达到100年左右。资产长期运行和维护的意义是深远的。由于市场、作物类型和农业耕作活动在工程使用期内的变化,灌溉农业的需求也随之变化。农业耕作现代化的需求是由利益驱动引起的,因为市场的全球化导致了政府补贴的减少。这种现象导致了对农业技术的更高投入,并伴随着土地所有权的转移。作为服务活动的灌溉与排水必须能够在现有基础设施的使用期内改善服务内容以适应这些变化。为达到这个目的,管理组织必须有超前意识,制定设施发展的远期计划。为了做到这一点,规划者应当考虑到潜在的新的运行需求和技术的进步。先进技术的运用既可以提高服务的质量也可以降低服务内容的总体成本。

与灌排服务相联系的财政管理随一些组织机构因素的变化而变化。这些因素包括资源、维护资金的有效性和其他功能,例如工程寿命、资产的条件和属性等。从传统意义上讲,大部分灌排组织的财政管理基于预算分配额,这些预算额度与实际服务发生的长期维护成本没有关系,并且服务会导致基础设施维护与投资的不足。而且,预算分配经常通过年运行维护费来获取,没有考虑基础设施的寿命周期费用,例如基础设施修复费用和现代化设施的购置费用等。这种传统的方法称为"投入驱动"预算管理。定向于管理的服务,其重要特征是"产出驱动"的预算过程。机构的预算必须建立在长期需求和短期需求之上,因此组织财政管理的策略必须将重点放在资源的开发上,这种开发需要既定服务标准的可持续内容。从这个概念上讲,所有的组织计划必须按照既定的服务内容进行评价,这意味着所期望的不同的服务标准产生的财政结果应当给予考虑。在本章中,财产管理项目是以下内容的基本工具:

(1)辅助管理机构制定基础设施变化所需要的发展规划以改善服务内容并降低服务的总成本。

(2)帮助管理机构预测这些变化的中长期财政结果。

6.2　财产管理的主要原则

6.2.1　财产管理的定义

公共的或私有的灌排基础设施的资产管理应用原则是一个相对新的概念。从传统意义上讲,政府对灌排基础设施的投资主要集中在规划和基础设施建设成本上,而对于经济寿命中基础设施的耗费重视不足。但是,基础设施的管理包含了几种其他类型的内容,例如维护、修复(替代)、现代化基础设施建设和新技术的应用、资产的折旧与处置等,所有这些都有具体的成本核算,它们形成了总维护费用的一部分。如果没有考虑到在基础设施经济寿命中发生的所有成本,服务总成本的内容就不全面。考虑到所有基础设施的工程项目称为资产管理项目,这样的项目允许管理以可持续方式建立服务成本。这些方式是建立在确定的和易测量的运行参数基础之上的。因此,财产管理从字面上讲,应当看得见。这种管理与服务成本和不同的服务标准存在内在的关系,见图6.1。

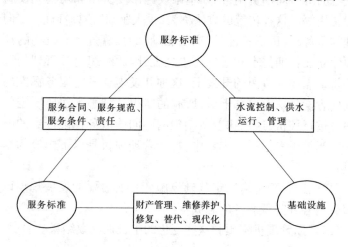

图 6.1　定向于管理服务的财产管理

胡夫根与马兰努曾于1997年将灌排服务的资产规律项目定义为"以最有效的和可持续的方式创造、获取、维护、运行、替代现代化灌排资产的处理的一项计划"。可持续性和成本有效性是资产管理项目的两个重要方面。通过确定水利基础设施运行所发生的长期实际费用,管理可以成为确保长期维护和货币资金不足的预算依据。框图6.1提供了与灌排基础设施活动有关的名称及定义,这些活动发生在本专著所提到的资产使用寿命内。

框图 6.1　与灌排基础设施活动有关的名称及定义

维护：保持灌排设施资产处于良好状态的维修养护过程，以实现
　　　设施的完整功能。

大修：基础设施主要部件的替代和更换过程。

修复：现有资产的改造过程，这些资产不能再满足其原有的运行
　　　要求。

替代：用具有同样特征的部件更换丧失功能的部件，以维持设施
　　　的正常运行。

现代化：现有资产的升级换代过程，以满足提升技术能力，达到
　　　　提供优质服务的目的。

更新：用于描述修复、替代和现代化升级的总体概念。

6.2.2　资产管理的基本概念

6.2.2.1　资产的类型

在标准的资产实践中，资产可以定义为对财产的拥有和责任并意味着真正拥有财产。这个定义体现了资产的两个类型：货币资产和固定资产。货币资产从发展的角度来说是重要的。从灌排基础设施的资产管理项目的角度来看，固定资产是主要的表现形式。另外，这些资产可以进一步分为静态资产和动态资产(图 6.2)。

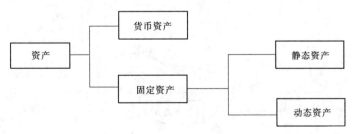

图 6.2　灌排资产的分类

静态资产或不动产是指那些没有受到磨损、撕裂或定期替换具有活动功能部件的固定资产,这些资产包括诸如管线、渠道、桥梁、道路等。动态资产包括具有活动部件的设施,例如水泵、植物和活动设备,这些资产需要定期监测或替换。

6.2.2.2 资产寿命周期

图 6.3 展示了灌排资产成本的典型寿命周期。周期从规划设计和结构建设开始,接着是执行任务和运行操作。由于磨损或撕裂,资产逐渐丧失功能,需要替代(换)、修复或监测,这些活动称为更新过程。如果资产被替代或被监测,在更新发生之前,旧资产必须得到合理处置。图 6.3 也描绘了与每个寿命周期的阶段有关的相对成本。通常我们假定,基础设施的规划和创建占寿命周期成

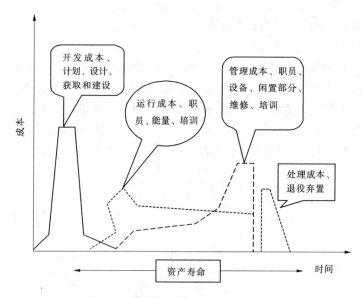

图 6.3 灌排资产成本的典型寿命周期

本的大部分内容。实际上,对资产整个寿命周期发生的运行成本和维护成本的详细分析也具有很重要的意义。

　　资产运行时间加规划处置中的维护时间称为寿命周期。设施寿命是设施开始执行功能到丧失功能的年限。财产的经济寿命是指运行间隔时间,这种间隔使财产的年运行总成本以最小执行其具体的功能。通常,经济寿命比实际运行寿命短,因为一项特别的财产在其经济寿命结束后仍然在运行使用。这经常意味着维护标准的提高,以便财产不以最低成本选项来运行一项特殊的功能。一项资产的有效寿命是指资产使用所期望的实际时段,它受到许多因素的影响,包括例如建筑工程的质量、渠道衬砌的地理条件、抽水泵站的超额容量等。经济寿命由基于以前同样资产的预期估计参数来决定,而有效寿命需要基于资产的目前状况,通过周期性条件评估来提升。残余寿命指资产在某一时间点上期望维持的寿命。和有效寿命一样,残余寿命在资产的整个寿命中随周期性的条件而变化。

6.3　财产登记

　　财产登记或资产目录形成了资产管理项目开发的基础,它代表了资产管理项目的最大单一成本。财产登记是财产信息的数据库。数据库可以人工开发,也可以以电子表格形式形成。但是,项目数据操作的需要使人们更加期望使用计算机数据库。财产登记是建立在财产基础调查基础上的。资产的项目标准是由资产管理项目的目标决定的。因为,以资产评估为目标的项目可以转化所有权(私有权),并且资产转化方法是多种多样的,这些方法的基础是各类资产的代表性样本。这些资产的类型不需要情况描述的详细信息。统计技术的基础是某一事件发生的概率,例如替换概率、折旧率等,它有助于推断未来资产管理的长期使用费。

但是,目前灌排基础设施中正在运行的资产管理项目的开发需要所有单一资产的综合调查。开始时,按照具体的分类原则,财产必须编制目录。分类原则是为了对财产进行详细的监督和管理。所有的数据应纳入财产登记。

财产登记的设计和包含的信息取决于为财产管理项目树立的目标。但是,对于任何财产登记来说,存在着数据库内所包含的最小的数据需求。具体地来说,这些数据需求包括以下几个方面。

(1)识别码:代码系统随涉及到的细节标准而变。对每项财产必须设计一个特别的代码,通过这个代码灌溉管理处可以掌握运行、账目和财政支出情况。一个特别的代码可以是管理识别财产的类型,例如水力特征、运行特征和财政特征,以便普通的数据库可以用来满足灌溉管理处信息技术的需求。

(2)结构的类型和其他特征:灌排资产可以以多种形式分组。但是,一个普遍的分组形式是根据结构的类型确定的,例如渠道、横向调节器、引水口、水泵、桥梁等,对于包含位置、大小、几何类型和结构材料的资产主要特征的描述是必要的。通过由描述方式完成的分类代码可以将这些信息储存起来。

(3)财产的寿命:完成财产折旧的年计算量并创建整个财产的"寿命情况"是必要的。这个信息对于旧的资产来说更重要,因为旧资产接近使用寿命需要修复使用、替换或大修。

(4)财产的残余寿命:财产在替换、修复前的实际剩余使用时间需要由维持具体服务标准的投资项目决定。残余寿命通常与财产的使用条件、已经使用的时间有关。残余寿命的评估经常是主观的也随资产维护标准而变。在开始资产调查之前,必须建立清晰的准则和进行适度的培训。资产的残余寿命必须按照财产状况的变化进行周期调整。

(5)财产状况:对特殊财产未来所采取的措施主要取决于其目前的状况和它执行具体功能的能力,以便建立服务标准。财产的状况评估必须建立在对财产客观调查的基础上。状况评估的选择,一个重要的考虑因素是标准和过程的混合,这种混合状况决定着项目的成本。因此,这种混合状况必须对组织的需求做出回应,同时对服务标准的战略目标也要做出清晰的表达。评估原则的混合状况从简单的等级分类到组合型的多维原则进行变化。这些原则包含了每项资产和对整体资产的评估。分类原则的简单的资产条件可以用在渠道和水泵的分类原则中,例如在越南的拉卡灌区,这种情况很常见(框图6.2)。这个例子具体说明了用来对灌区设施进行分类的两个过程中的第一种情况。在灌区中,这些设施包括灌排渠道、桥梁、水槽、横向调节器、引水口和水泵。财产的所有类型都按照它们的状况进行了1～4级的等级分类。

(6)替代和再生产的成本:这个成本在替代现有财产(达到使用寿命)的时候才发生。如果财产利用改进的水力控制技术进行了现代化改造,那么替代的成本必须考虑到。否则,如果同样类型资产替换时,财产再生产成本会加以使用。例如,水力控制的识别技术。

(7)记录价值:记录价值是财产折旧后的剩余价值。如果进行了大量的运行工作来维修和改造财产,那么剩余价值和维修成本会代表新的剩余价值。财产的估价通常遵循记账的标准。这些标准按照具体的国家管理形式建立,也可以具体说明使用后折旧的方法。在缺乏任何维修情况下,财产的价值可以根据财产的使用年限和折旧方法进行自动计算。

(8)历史信息:财产的历史信息可以提供最好的基础资料。这些资料对未来财产的处理可以作为决策依据。特别重要的是维护

框图 6.2	越南拉卡灌区的渠道、水泵状况分类标准		
渠道护岸状况的分类			
护岸状况	存在的小缺陷	需要大修	需要更新或重建
• 状况良好; • 近期需要建设或修复; • 没有发现漏水或渗水情况	• 有些渠道横断面缩小; • 没有大的容量限制	• 横断面明显减小; • 通过岸坡渗水或漏水; • 设计容量受到限制	• 横断面严重缩小; • 严重的渗水或漏水,并有塌岸的可能
水泵状况分类			
护岸状况	存在的小缺陷	需要大修	需要更新或重建
• 近期需要安装、修补或替换	• 常规的维护和监测; • 运行操作不受影响	• 部分部件需要更换; • 道路容量和运行受到影响	• 需要重点检查; • 设计容量的缩减并存在着水泵和电器设备的损坏

信息、大的损坏信息和修补信息、更新信息和服务监督过程中对服务过程的限制因素等。

(9)总体评价:财产经常存在着这样一个特征,这个特征对财产的管理者都是有用的。服务的内容必须以文本的形式记录到数据库中。

6.4 财产管理的功能

　　财产管理的功能可以通过设施寿命周期和综合分析来表征，这些设施决定着基础设施财产的实际运行成本。财产管理的目标在于获得最有效的成本使用方法以满足具体服务的需要。换而言之，按照定义所蕴涵的内容，财产管理项目必须能够为组织或财政用户提供一个清晰的路线，以提供既定的服务标准。考虑灌排资产的长期拥有和运行条件，财产的管理才能做到有序管理。图6.4举例说明财产管理程序的各功能元素，这些功能形成了财产管理的一部分。这些功能的内容涵盖了财产的整个寿命周期，并构成了一个分析所有工程或非结构选项的综合过程。这些选项可用以提供或维持既定的服务标准。这个过程随我们是否处理新财产的创建形式而有所不同。例如，新的灌溉计划的研制或现有既定服务标准的计划管理都有着不同的特点。新财产的创建和获取既可以以新的方式，也可以以现有的计划进行改造来实现。但

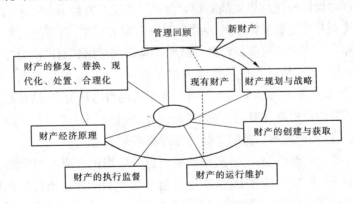

图6.4　财产管理程序的各功能元素

是,在现有的计划中,它们通常形成了改进服务标准的增长过程。无论新创建的财产还是现有资产的改造过程,财产管理的程序是一个整体的过程,并且必须和战略管理规划的目标一致。程序必须执行的功能基本和灌排基础设施类似。

6.4.1　新财产

新财产的创建和获取既是为了新灌区的开发也是为了将来的扩展,以改善服务标准和服务质量。如果存在明显的需求,这一点就通过对系统有整体的认识后得到确认。这些需求可以表达为以下内容:

(1)与降低内部管理成本相关的组织机构。

(2)现有的或潜在的客户,这些客户与服务标准、服务领域的大小和服务成本的调整有关。

(3)公共利益。通常公共利益可以通过政府或流域机构来满足排水流量的标准获得,并把对供水的影响减少到最小。

遵从以上观点并在确定新财产的需求情况下,可以为这些新财产的设计和规划提供战略指导意见。为了开发新服务需求的所有选项并确定服务标准的后果和服务内容的成本,必须进行财产的综合性评价。这些财产规划战略甚至应当考虑到财产次要方面的利用,特别是对于机械设备或电子设备来说,这种利用很有必要,例如水泵和其相关的电器等。在所有的寿命评价中,清楚地表达所需的成本是重要的,例如规划成本、设计成本、建设与替换成本、运行维护成本以及旧产品的处理成本等。

财产一经使用,一些新财产的信息就应当记录或与组织的注册记录一同写入目录中,这些应当包括财产的所有详细目录和财产运行细节描述。蕴涵在注册目录中的信息将来会用做财产管理项目各阶段的决策依据。

6.4.2 资产的运行与维护

资产运行与维护的费用通常包括了资产寿命成本的大部分内容。对于所谓的动态资产,例如水泵、工厂、车辆和设备来说其成本高些。而对于静态资产,例如渠道,控制结构成本也相对较高。在这些静态资产中,维护工作在决定结构寿命中起着关键作用。比较低劣的维护标准对资产的寿命和资产运行中功能的发挥有着重要影响。但是,维护工作有着非常主观性的特征,标准的好坏也与资产的类型和各类维护工作的成本的重要性相关(尼贝,1985年)。与灌排基础设施相关的主要费用有以下几个方面。

(1)直接费用:用于维持资产的运行。这些费用包括周期性检查、预防性维护和修理费用等。

(2)备用资金:在现有设备无法运行时,备用设备需要投入运行的成本。例如,排水泵连续地工作以控制排水渠道水位时的情况。

(3)损失产量的成本:当主要的设备在停工期时,备用设备又不可使用,这样妨碍了组织提供及时的服务,也会产生产量损失成本。例如,由于抽水泵站的临时损坏造成的服务暂停等。

(4)降级成本:降级成本发生在资产的使用寿命的衰减过程中,这样会导致维护标准的降低或维护工作量的不足。

所有这些成本对总的维护费用都有影响,并且随着所执行的维护数量的变化而变化。而更多的维护工作没有必要提高维护的标准以增加额外的维护成本。例如,由于抽水泵站的停用所造成的损失成本,开始时如果维护量增加,成本也由于水泵可靠性的改进而增加。而且,如果维护量保持增加,维护的成本比改进水泵可靠性的成本要多一些。

在所有资产管理环节中,资产的运行是指资产的操作过程。资产运行的具体目标决定着资产的功能,即如何提供灌排服务内容。资产运行的效率对运行的总成本有重要影响,需要对财产运行的历史、维护和未来运行的要求进行详细分析以确定财产运行的效率。在分析中应当考虑到一些因素,例如与设计或任务内容有关的财产执行情况、总的允许成本和财产设计容量等。

有时改变操作程序能降低财产的运行成本。例如,水泵运行时间的改变可以降低能量成本,因为可以根据使用时间来执行不同的电价标准;上游抽水口的泥沙管理状况的改进可以增加水泵的使用寿命。但是,决策的类型必须依靠财产运行历史信息的综合性分析。历史的回顾应当包含运行和维护两项成本以及失败的记录和维护标准的关系。建立在这个基础之上,未来运行与维护的总体目标可以由此决定。这些包含了失败的概率、组织管理资金的分配,以及改变运行需求能否延长使用寿命、能否降低运行成本及能否改进资产的运行状况。

管理者进行操作和维护分析的能力对于维护记录来说非常重要。通过维护记录与资产数据库结合的形式,管理组织可以迅速获得私有资产运行的信息。必须周期性地进行维护活动以确保资产的功能与其目标的一致性以及与资产运行目标的统一,从而分析运行需求的成本以确定替换成本标准。计算得出维护记录和相关的活动对于有效功能的控制、闲置财产清单的管理、监督报告的编制是非常必要的。

6.4.3 财产状况与执行监督

灌排系统中的每项资产其设计目的都是为了执行特定的功能。执行这些功能的设备容量由于设备的老化、磨损和撕裂等原因会逐渐丧失。为了维持服务的内容,掌握管理处资产库的详细知识和运行操作技能是非常必要的。通常,管理处对于资产管理和运行的失败会导致维护量的不足,并最终要更新换代。资产管理的失败通常使管理处别无选择,只能修复或替换资产的部件。这样会提出一个重要的概念,即状况监督。状况监督的任务是使资产管理者按照每项资产失败的记录做出决策,这些失败记录与服务的内容有很大关系。

6.4.3.1 资产状况与适用性

灌排资产由于运行与维护状况的变化,在整个系统内以不同速率处于老化状态。在资产内部也存在着微量的老化衰减现象。基础资产的状况从资产登记所提供的简单记录中可以得到开发依据。资产的状况图也提供了投资与建设时间的依据。

资产良好的运行状况意味着它能执行功能,并满足具体服务的需要。例如,在各部件仍处于运行状态时,具有可视老化信号的水力结构仍然能充分地发挥作用控制水位。另一方面,尺寸不满足要求的新的水利建筑结构或不满足闸门提升要求的设备限制了供水的服务水平。因此,水利建筑结构也必须在它提供所需要的服务的基础上进行功能评价。这就是通常所说的适用性。

资产适用性的概念是建立在资产提供具体服务能力基础之上的。这个概念的提出首先是与英国城市资产利用与管理有关的。供水公司认识到,改进特殊资产的条件不会影响到其服务能力,因此也不会改变系统整体功能的发挥(帮雅得、博斯多克,1998 年)。这个概念是通过适用性矩阵形式来表达的。适用性标准是建立在一些物理和服务参数基础上的。博顿和豪曾于 1998 年试图将这个概念应用于灌溉资产中,他们从客户对灌溉服务公平观点基础上,提出了适用性概念。他们使用的因素有适当性、季节性、公平性、供水可靠性和基础设施操作的准确性,使用的执行参数有水力操作系数、资产主要折旧程度和条件。服务执行参数的使用直接与执行服务内容的资产有密切联系。灌溉基础设施的管理与实际资产的物理状况在满足服务规范的能力执行中起着重要作用,这一点在第 5 章中进行过讨论。管理的具体作用和传递具体服务的物理状况通常很难分开。但是,用于评价资产执行情况的准则也包含了足够的管理信息,这一点很重要。选择显示器的类型来测量物理数据和资产管理执行状况,使管理者按照每项资产的运行和维护成本编制发展战略规划。现有灌排财产的情况可以符合适用性原则,尽管好的状况由于运行操作不够熟练,存在的可能性很低。运行分析是一个功能,这项功能必须作为资产管理程序的一部分来执行。在执行中,必须分析财产的运行与维护状况以决定他们目前的成本和衰减的潜在成本。

6.4.3.2 资产执行监督

在提供协议服务内容中,资产的执行必须和资产的每一项具体功能相符合。提供服务执行的措施可以显示资产的容量和目前、未来管理的状况。但是,资产内在的特性必须能够得到观测并用以评价资产执行情况。具体地说,这些协议内容表达了资产的物理容量或资产运行维护的财政含义,并包含了满足安全标准的意义。这些例子可以列举如下:

(1)维护与运行成本。

(2)损坏的频率。

(3)停工期。

(4)设计容量的利用。

(5)各部件的整体化。

资产维护、损坏和停工期的历史数据对于评估资产的可靠性是重要的。存在于资产注册目录中的信息,使资产管理者能够执行有关的维护功能和进行私有资产的更新分析。要达到成本降低目的,通常要提高各项费用的使用效率,即资产执行其功能的发挥程度。考虑到资产执行功能的有效性,资产管理者必须进行所有管理(软件)和物理(硬件)成本的分析。建立任何成本比较的管理原则必须是确定良好的服务标准的基本内容。例如,平闸门和自动闸门能在主要灌溉渠道内控制上游水位。但是,如果服务标准包含了具有流量选择的需求服务、历时和灌溉时间,那么自动闸门更具有调节不同水位变化的能力。人工操作的闸门比自动化操作的费用高,因为逐渐增长的运行投资是按照职员的形式和技能水平来支付的。必须制定完全的监测资产名单以确保资产管理人员使用一致的运行评价准则,可以开发附加的决策支持工具以帮助资产管理者进行操作和替代分析。在准备这样的资产名单时,应当认识到执行的目标可以随着时间而变,因为农业的技术条件也在变化。例如,专门为水稻种植供水的灌溉资产为多样化的农业种植结构供水时,已经显得无能为力。资产运行管理的一个典型例子就是农民不喜欢在夜间灌溉。如果灌溉机构对农民的灌溉要求做出回应,供水系统的设计容量必须扩大以满足白天灌溉的需求,以弥补夜间灌溉的不足。一个可供选择的方法是引入农田蓄水设施以承接夜间的流量。在湿热地区,水泵的设计排水量是资产容量的典型例子,这种容量是灌溉需求最大水量。增加防洪标准的决定需要更高的成本。资产管理项目必须按照资产的最低成本和最佳效益的原则对每项选择进行评估和选择。

6.4.4 资产的账目管理与资产经济学

基础设施的成本计算需要对所有使用寿命内发生的资产成本有一个统一的认识。如前所述,资产的运行寿命有几个主要的阶段,即规划阶段、设计阶段、建设或形成阶段、运行维护阶段、修复阶段、现代化改造阶段和后期处理阶段。在规划阶段,设计和决策选择对资产的整体寿命比其他阶段有着更重要的影响。但是,决策阶段应当考虑到与资产本身的效率和使用效果有关的成本。

账目管理与经济学分析为所有资产寿命周期发生的成本提供了基础。所有的成本为管理者制定长期的基础设施维护与修复策略提供了依据。因此,资产的成本核算必须在私有资产的基础上进行。通过这种做法,可以规划操作的时间以平衡修复资金、部件替换资金和现代化设施购置的关系。此外,组织机构会面临如何更具体地在法律框架内实现记账问题,例如必须考虑到现金或非现金成本的记账问题。

6.4.4.1 资产成本的使用寿命

对于与资产有关的使用寿命内成本的认识是制定成本分析策略的重要因素。灌排资产使用寿命内发生的成本可以包括如下几项:

(1)可行性、规划与设计成本(投资)。

(2)建设或获取成本(投资)。

(3)运行维护成本(再发生成本)。

(4)修复与现代化设施改造成本(投资)。

(5)处置成本(投资)。

这些成本的构成要素及其相对大小随资产类型的不同而变化。各种资产的相对重要性也是随资产使用寿命中的不同阶段而变化。尽管概括起来比较困难,但是规划、建设、修复和现代化改造成本通常覆盖了比运行维护成本的使用时间更短的运行历时。前面已说明了资产使用期内的主要活动和所涉及的费用,这些成本费用构成了整个使用期的总体成本。在上述清单中列出的大部分成本是不需要说明的。

上面列举的费用清单代表了与资产使用期内各阶段有关的实际成本内容。也需要资产成本表述的其他形式以满足账目管理的需求,并完成各种更新分析。这些更新分析包括:

(1)折旧率分析。

(2)投资回收率分析。

(3)风险成本分析。

6.4.4.2 折旧率

灌排服务的财政分析必须考虑到资产成本各投资部分的全部折旧成本。构成灌排基础设施的各部分的所有资产都有一个有限的生命期。资产在提供灌排服务的使用中随着时间的推移,资产的使用价值也会降低。这种现象可以在资产服务的过程中得到很好的反映。资产价值的降低可以通过折旧来反映。1964年,图森提出了折旧的两个类型:①物理折旧;②功能折旧或功能丧失。

物理折旧是由于资产的自然磨损引起的,这种功能退化主要由于金属结构的腐蚀、结构生物化学作用等。在使用过程中的磨损、撕裂,例如水泵叶轮和轴承的磨损等会引起功能的衰减。

功能折旧是指由于常年的弃置不用而导致功能的丧失,而不是资产本身没有执行服务能力;此外还由于采用新技术而搁置了旧设备,也会导致功能折旧。资产的功能退化也可能由于功能类型的变化而引起。例如,考虑到灌溉上游人工控制系统的供水,是在以固定的流量和历时情况下进行的,其功能也受到了限制。尽管基础设施处于良好的运行状态,但是为满足灵活性供水的服务标准升级似乎不太可能,除非实行地方或中心自动化控制系统。在这种情况下,旧的资产应当被替换或监测以满足新服务标准的需要,尽管旧资产物理条件仍然满足一定的需求。

灌排服务的财政分析必须考虑到所有的折旧成本,这个成本反映了资产耗费过程中的损失速率。计算资产折旧率的方法有几种,最普遍的方法有:①直线方法;②偿债基金方法;③固定百分比方法。为了计算灌排资产的折旧率,通常使用直线方法,其他方法的选用可以根据不同的寿命阶段中资产折旧率不同而进行选择。各种折旧方法的详细论述已经超出了本书的范围,这里不再赘述。

资产折旧的计算是建立在资产价值、废弃资产的价值和资产服务寿命基础上的。资产的起始成本具有确定性,而废弃资产的价值和资产的服务寿命必须进行评估,因为这些内容是在以后的运行中必然发生的。但是,对于大部分灌排资产来说,废弃价值是可以忽略的,除非这些资产还有特别的利用价值,例如废弃的水泵、电器设备等,它们还可以作为二手设备卖掉。

资产在设计时就必须有起始价值,以便准确地计算它们的剩余价值。灌排资产的评价有两种方法:①替代成本;②再生产成本。通过替代成本原则,资产评价反映了在新资产中使用新技术的成本。当现存资产被同一型号资产替代时,我们会使用再生产成本。替代的情况一般发生在当灌溉处提供服务标准的升级时,因为在这个时候基础设施需要大规模的现代化改造。作为一个例子,下游控制的结构的自动化实施必须改变自动化的控制闸门,这些闸门的安装对于控制水流条件是十分必要的。资产的评估必须考虑到资产的价值,为了反映服务标准升级的实际成本,这些现存的资产必须更新换代。一项资产所设计的服务寿命通常是基于经验的,并且主要是判断的一个过程。各种工程教科书都会阐述灌排设备和附属设施的明确价值(杰森,1980 年)。但必须记住,由于所涉及的资产服务标准的非确定性,尽管使用折旧公式进行了精确计算,减去折旧的资产价值经常不能反映资产的实际价值。进一步地说,资产的折旧有时会在其寿命进行中改变。因为维护标准的改变和主要周期性维护工作的进行,这种改变是必然的。对于那些比需要的花费低的基础设施来说,这种改变是一个关键因素。在这种情况下,折旧公式不能反映资产价值实际的降低情况,因为资产超过了实际的剩余寿命却没有达到设计的寿命。因此,我们强调只有有经验的职员才能对现有的资产条件进行评估,这一点是很重要的。随着资产管理项目的贯彻和执行,管理处能够在中期内、在存储于资产数据库内信息基础上,开展更客观的资产评价,这称为资产管理项目的附加利益。

资产实际折旧的一个选择性方法可以通过使用基于折旧的条件(CBD)来得到,这个方法的前提条件是资产的价值由它与"新"条件的偏差来决定。例如,如果渠道的横向调节器有 150 000 美元的替代价值,将资产变为新的工作条件的价值是 25 000 美元,那么它的资产折旧成本就是 125 000 美元。如果在周期性间隔内重复这个过程,资产剩余价值的变化可以通过图 6.5 来确定。

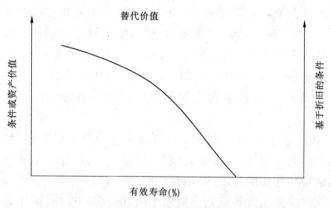

图 6.5　建立在折旧基础上的条件图解

资产的剩余价值必须按照现有的基础进行调节,因为更多的资产状况和执行信息可以获取。由于剩余寿命的再评价过程,资产折旧的调整成为一个必然程序。剩余寿命比以前估计的短,这表明潜在服务有较大的损失,这种损失可以转变成较大的折旧变化。相反,如果剩余寿命比估计的长,折旧变化就会减少。为了使资产管理者连续地提升资产价值,必须将资产的信息存储在综合性数据库中,这样数据库可以不断地升级以便反映资产的实际状况。

在资产成本多年运行后,灌溉排水组织经常从事资产项目的开发工作。在这种情况下，直线折旧技术足以确保组织的长期生存能力，因为部分资产基础已经耗费完毕。建立在成本计算方法基础上的更新过程是必要的，这样可以确保足够的年运行费在规划阶段用于资料的调研。利用这种方法，在资产的更新过程中可以积累年金以便为将来投资利用，这是灌排组织使用的最普遍的方法，这种方法开始是由无资金回收的政府开发和补贴的。

为资产更新提供财政支持的方法，有两个具体的运作模式，即法国的社会地区合同管理（SARs）与澳大利亚东南部的地区灌溉模式。SARs 模式是为了灌溉、城市和工业供水，在对设计、执行和运行水资源的基础上建立起来的。SARs 有 75 年授权历史，在授权的末期，他们必须保证基础设施处于良好状态，需要完成这项义务的资产更新必须建立他们自己的服务税收（普兰特，1999年）。

20 世纪初，在澳大利亚东南部地区灌溉模式的发展，特别是在玛丽-大岭流域，主要依靠联邦政府的资金补贴。基础设施的后续运作和起初的发展，是由州政府的水利部门和法定的权力机构完成的。在澳大利亚新南威尔士州和维多利亚州，由于近年情况的变化终止了灌溉机构的财政补贴政策，这些机构具有资产更新成本的回收权力。

这个方法产生的服务成本比直接的折旧或 CBD 的大部分情况的成本高，因为回收更新成本的可利用时间较短。但是，这种方法是一个更现实的方法，特别是在资产管理项目贯彻之前的资产更新没有历史经验的情况下，这种方法更可取。这种方法的连续运用能保证所选择服务的维持能力。

6.4.4.3 投资的大致情况

灌排资产的共同特征是需要大量的投资来替代各类资产。通常，大量的资产，例如取水口、流量调节器和水泵等必须一起替换，因为这些资产更换的速度较慢。资产替换情况是以资产的现有状况为基础的,残余寿命必须归因于私有财产。这些私有财产的基础是资产目前的运行状况。具有同样残余寿命的资产,其总和形成了资产需求的整体投资(图6.6)。再假定残余寿命有一定维护标准,可以据此评价资产的残余寿命。但是,决定资产生产寿命的其他因素和维护信息可以改变原有假定的残余寿命情况。对于建立更准确的残余寿命的评价过程和资产更新升级的选择,采纳专家建议并进行价值分析通常是必要的。灌排资产寿命周期方法的主要优点之一是,它能够使权力部门制定长期的投资战略,以应付大量投资之需。

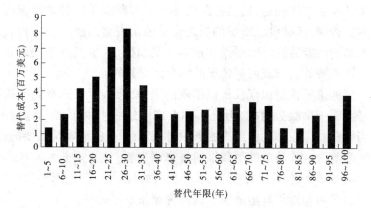

图6.6 澳大利亚戈本中心灌区资产替代投资情况

6.4.4.4 回收率

除了通过折旧费用对资产的消耗进行补贴外,人们期望基础设施的投资能产生一定的资产剩余价值的回收额。这个原理是建立在经济效益基础上的,并假定这个原理能够说明在基础设施发展中资本投资的机会成本。灌排政策经常规定,灌溉组织对基础设施期望有一个回收率。政府对灌排设施的投资,通常不包括服务总成本部分的实际回收率。原理隐含的意义是,政府总体上并没有从这类投资上得到资金回收。对于用户自身建设的私有灌排设施,用户只是股份持有者,明显地不存在考虑投资回收的问题。

6.4.4.5 资产管理和服务成本

资产管理项目的最终结果是决定服务维护成本的信息。这是所有基础设施、其他运行资源的整合,例如人事资源、财政资源和保险制度以及权力的使用等。权力的使用保障了组织服务内容的实施,应当认识到服务成本不同于服务价格(税)。政府的政策可以为灌排服务提供低于回收标准的服务成本。服务价格与实际成本之间的差距只有在全部成本分析(基于长期资产管理战略)的成果开发后才能确定,这种差距的形成是按照灌排的补贴情况决定的。否则,基础设施维护的缺乏会反映出资金的匮乏。这种设施的维护性能的缺乏既是维护成本不足引起的,也是由于缺乏正常资产耗费的折旧或两者情况的结合而引起的。

如果灌排组织仅仅提供单项的服务,那么所有成本的安排都是为了一项服务目的,但是实际上许多组织提供了多元化服务。当补贴发生在不同的组织服务中时,私有服务的成本是必要的,例如灌溉、排水、防洪的项目描述得非常清楚。对于分析每一项服务活动并识别潜在生产率的增长是很有必要的。建立在计算成果基础上的活动能很好地适应于辅助管理任务的完成。

6.4.5 资产的审计和更新

资产的管理项目要应付资产寿命内所有活动。除了维护活动外,管理项目必须包含其他的事项,例如修复、替换、现代化和旧资产处理等,以此说明财政上的含义。具体地说,这些事项的大部分相对来说构成了项目财政的大量资金。

如上所述,灌排的显著特征是大量的投资的使用。例如,图6.7显示了越南拉卡灌区的服务成本情况。

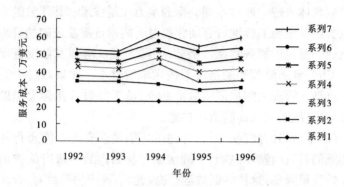

系列1—年金;系列2—电力灌溉;系列3—电力排水;系列4—维护;

系列5—人事;系列6—体积水费;系列7—管理费

图6.7 越南拉卡灌区的服务成本情况

制定包含所有资产的使用寿命的财政策略往往是不实际的,也是不现实的(大坝的寿命可以超过100年),所以可以建立短期的投资项目(15~20年)以消除更新的资金短缺。为了建立所需的折旧储备,对适当的财政管理安排必须恰当以便为资产的更新提供更多的服务。在考虑一些更新活动时,必须按照更新范围对当前的资产选项进行评估。这些选项有结构和管理方面两项内容。资产的管理者经常面临着一些抉择,例如通过修复工程与维护成本的升级、修复与现代化设施购置,以及当投资需要时资金的数量和修复的关系等。评价的基础是当前资产的未来经济价值与可选择的更新措施等。运行经费短缺的原因必须弄清楚,以便决定目前资产的维护成本。灌排资产缺乏服务内容的原因有:

(1)不恰当的设计或水力控制技术的非适应性。合适的水力设计或灌排资产的选择决定着资产执行其预定功能的能力。例如,不能操作所需要的流量或不能维持所需要的流量水位,或水泵不能传输所需要的洪峰流量以满足作物水分的需求是达不到设计标准的具体表现。通过不同类型的水力控制技术和其相关的管理可以提供一定服务标准。自动化程度弱的系统需要较多的管理投入以达到既定的服务目标。例如，上游人工控制可以在没有限制流量、历时和灌溉频率的情况下按照申请供水。如果通过上游系统的自动化管理来完成同一服务标准，员工的数量就会大幅度减少，尽管系统需要较高的操作技能。

(2)不恰当的建设。不符合建筑标准是新资产不能履行其具体功能的普遍因素。例如，下游水流控制结构的不适当保护措施会导致流量降低，这样的低效运行也减少了资产的有效寿命。

(3)条件(磨损和撕裂)。低劣的资产运行条件会导致维护成本的增加。资产维护的历史会随时间的推移反映维护需求的变化，并显示资产未来维护的倾向。资产相对重要的资产风险成本(与资产相互依存)与资产维护成本相等或略高些。

(4)废弃。在废弃资产中，资产的状况仍然是可用的，只是控制运行技术被新的、更有效的技术所替代。例如，地方人工操作的水泵可以被遥控软件技术来替代以控制和操作泵站。在有些情况下，尽管旧设备依然可用，但由于设计变化缺乏部件也必须利用新的产品来替代。

(5)结构的完整性(安全)。资产可以到达它的使用寿命，并预示着设备功能可能处于丧失的边缘。例如，大型泵站的转换器和开关设备由于防洪不能正常运行，使设备丧失了应有的功能。

(6)由于需求的改变而导致的设计容量的不足。基础设施寿命中，农业系统的改变有时使资产不能满足服务需要。例如，水稻灌溉的传输系统不能够支持多样化的现代农业系统。

(7)人为破坏。对灌排资产蓄意破坏，在有些灌排系统中是一种普遍现象。破坏的程度取决于破坏的类型。但是，依靠高科技设备控制水流的系统，其破坏的后果特别严重。例如，具有传感器、电信设备和驱动器的系统,用户也可能故意破坏灌溉结构,使资产不能够发挥作用,以获得额外的供水。

6.4.5.1 资产评估与资产更新决策

资产评估的目的在于扩展现有服务容量、引进新的水力控制技术或替代已经到达使用寿命的资产,与资产丧失功能相联系的成本与结构条件有关。低劣地维护现状导致结构老化比处于良好状态的资产更具有风险性。有时,延迟更新、增加功能丧失的风险是人们所期望的和必要的。经常用于替换现有资产的简单方法是建立在经济寿命基础上的。实际上,在资产的经济寿命结束前,资产已经结束了其有效寿命;相反,在到达资产寿命之前的资产的替代会导致资源的浪费。与资产有关的风险标准也取决于资产的空间位置。例如,渠首功能丧失的风险标准比下游同样资产状况的风险要大。和灌排资产的结构有关的风险大小和类型变化的范围较大,这些范围取决于结构的功能和尺寸。例如,大型调节坝功能的丧失会引起灌溉经济利益的损失和人员的伤亡,而小型灌溉控制结构功能的丧失只对它控制的一定的灌溉面积产生经济影响。与普通的灌排资产相关的风险成本主要与经济损失有关,例如,作物损失、土壤肥力退化等,这些损失主要由供水不足和长期洪水淹没引起。灌排资产的风险标准可以通过改变资产的状况进行管理,例如通过维修养护和修理等。首先,这个过程需要意识到与特殊的财产有关的潜在问题,如资产将会出现什么问题? 其次,这个过程可以带来选择性措施以降低或消除风险标准。对于降低、承受或消除风险的决策过程是建立在风险管理的定性和定量分析基础之上的。风险的定性分析主要讨论资产可能失败的后果和原因,这个分析过程必须遵循系统方法,这种分析方法需要专家确定各类资产可能产生的问题;这个分析过程经常产生大量的潜在风险因素,必须对这些风险因素进行评估和分类。定性和定量技术可以用通过计算机软件的评估程序进行。风险的定量评估和分类是建立在财政有效期内风险发生的影响和发生的概率基础上的。从原理上讲,把结构的条件与风险成本联系起来是有可能的,这个过程称为风险评估。资产功能丧失概率的确定需要同样或同一结构失败表现的经验或知识。对于原有失败的历史资料和数据必须将其转化为具体资产功能丧失的概率曲线,使用这种曲线需要与已经制定出的设计标准和建设标准相符合。

风险评估的过程有三个主要方面:①危险因素的确定;②所遭受风险的评价;③回应方法的评价。危险因素的确定是由各类事件构成的,这些事件或许发生在既定的资产状况下。这包含未来问题的描述和与发生问题相互联系的后果。例如,渠道护岸的决口会引起毗连区域的洪灾和下游用户供水的中断;水泵抽水功能的丧失会中断供水,如果水泵用于排水服务就会导致意外的洪灾损失。

每一次危险造成的资产风险是风险的定量描述,这种描述包括了这种风险事件发生的概率和时间等。资产所遭受的风险可以对其整体或个别资产进行量化或表达,并且与所包含的价值作为一个整体进行研究。在一项资产管理项目完成以前,决定风险的信息通常很难获得。确定的难度和风险必须由技术专家使用恰当的评价技术进行评估,例如风险评估分配的工程价值,这种评估可以表示为年概率。

反应选择是一种行为,这种行为考虑到了资产风险标准的变化。对反应选择评价的目的是回答诸如这样的问题,足够安全是有多安全? 这种选择方法包括不做任何事情、修复或资产的现代化建设以及对运行规则的修订。在进行评价活动时,必须考虑到剩余风险的概念和每项方法有关的成本,这种剩余风险是在纠正措施执行后产生的。

6.4.5.2　更新决策分析

资产功能执行和更新的评价必须建立在资产的运行目标和精确的运行信息基础上。资产注册包含了每项资产的技术信息和财政信息，更新决策的过程包含了技术和财政两个因素。所必须考虑的主要技术因素通常与水利基础设施的类型有关，这些设施需要提供具体的服务标准。在挑选最佳水力控制时间时，必须考虑到一些选项，这些选项的范围包括了技术和运行投入等内容。除了考虑经济因素外，当选择水流控制模式时，选择过程必须对灌区社会经济条件给予充分注意。第一阶段的活动是由资产的剩余寿命的预测及其风险构成的。除非能搜集到足够的资产功能损毁信息，否则这个活动很难开展并会受到外界的严重影响。资产剩余寿命的预测能力在资产管理项目实施中可以得到提高，因为更多的信息可以通过功能监测获取。一旦预测到风险及其成本，需要更新的各类选项必须通过资产现存的组织管理成本和资产风险成本的对照过程进行评价。

更新分析的主要目的是确认和选择特有资产的最佳执行过程。任何更新决策都包含了选项的最佳技术和最佳财政途径以弥补资产短缺的不足。这些途径包含不作为或继续履行同样的维护标准、恢复功能或进行现代化改造或进行其他改造的内容。如果资产接近其有效寿命并且处于丧失功能的边沿，那么剩余的选项数量就会减少。财政分析方面包含现有资产的评价、所有更新选项利益的评价、执行利益（或成本）分析以及每项选择的成本有效性分析。分析的结果按照成本比率或资产最佳成本的有效性进行排序和分类。

6.4.5.3　更新分析中的工程价值

在水力控制系统中，每一项资产都有其特定的功能。当资产管理者面临着具体资产未来的目标决策问题时，他必须首先考虑资产的特定功能和这种功能的执行能力以及成本费用,然后才能决定怎么做。价值分析是一个系统工具,它可以用在分析的执行过程中。价值分析的目标是获得信息,以使总成本在资产的寿命期内执行特定的功能。价值分析的主要目的在于以最低的运行成本完成系统的总功能。只有当每项功能的目标措施可以利用时,价值分析才能够实现。美国价值分析协会将其定义为确定性技术的系统应用,这种应用确定了产品和服务的功能,建立了功能的货币价值,提供了以最低成本运行的功能需求。在灌排系统内,这种技术可以应用于一些决策之中。这些决策与现有资产的更新和维护有关,因为每一项资产都有特定执行功能。如果一项资产不需要执行任何具体的功能,那么资产必然因价值的衰减而遭到废弃。随着资产的更新,资产管理者通常面临着各种选择,如是否通过修复或替代生产同样的产品,或提升资产的现代化水平以提供更高标准的服务,或提供更有效的同一标准的服务。

在灌排资产管理中,价值分析原理应用的最有效方式是采取总体系统方法来评价资产的功能和成本。例如,渠道资产的分析,由于水利基础设施结构元素模拟分析执行,包含了系统所有的控制结构。与资产分析有关的多学科专家组经常能够提供一个综合性的各类获得选项的评价规则,这种评价规则被广泛应用在资产的更新评价和成本效益评价中。价值分析的重要作用在于它能够通过总体系统分析方法处理复杂问题。在对系统进行定量分析时,必须考虑到服务内容中涉及到的所有事项,包括与每项资产有关的问题和因素以及资产执行功能的实际需要,此外还有未来的经济、技术、社会、环境情况等。在检查系统时,有必要把资产的基本功能与次要功能或非主要功能区分开来,各类节省的费用正常来说与次要功能的消除有关。在这个分析中,附加费用即指为延长资产寿命而增加的额外维护费或为改进资产外观而进行的各类检查费用和缺陷消除费用等。

团队工作必须提供足够的环境,在这个环境里团队成员具有创造精神并从各自的角度思考问题,并为现有的增产问题提出新的解答办法。团队工作方法有助于产生一些人们单独工作时想不到的主意和办法。

当这些原理用于灌排资产管理时,其主要目标在于以尽可能低的成本获得具体服务内容。该研究总是开始于整体服务活动,因为这构成了资产系统的总体功能。系统中的每一项资产需要进行彻底检查,因为资产需求和适应性需要按照服务标准去执行。所有的分析技术的目标是非必要费用的确定和价值改善障碍的消除。

6.5 资产管理程序的发展与实施

6.5.1 组织方面

资产管理程序必须全部地与总体战略规划结合为一体。这些战略规划目标是灌溉组织为客户提供协议或公共的服务内容。组织的目标必须反映其重要性,并且目标必须成为几个规划的内容之一。这些规划形成了总体战略规划的一部分。与战略规划的目标一致,灌排组织必须充分地贯彻和执行资产管理程序规定的内容。

管理程序本身的制定包含了准备阶段和实施阶段。初步阶段是由组织结构的建立和程序的实施构成的。人们期望利用足够的基础设施和具有许多技术专家的人力资源建立起资产管理组织。由一个管理者领导的这个组织具有组织机构内对资产管理程序设立和维护的职责。

在准备阶段,对现有运行与维护预算的评价、现有资产程序的评价以及当前实践活动中发生的信息必须进行搜集和比较。资产数据质量的初步评价、现有信息系统的范围和信息的有效性与准确性也必须进行详细的归类和总结。对资产管理程序整体的规划与组织规划一起必须在起始阶段完成,其目的在于避免管理程序变成一个组织内独立体。与其他元素有关的整体规划的缺乏,特别是财政和管理信息的缺乏会大大降低程序的有效性。后面的整合过程其费用通常变得更加昂贵,特别当矛盾的信息系统被替换以获得必要的整体性时,这种替换的成本非常高。

组织内程序所有权的建立在开始时是非常重要的。向组织内与组织管理程序有关的管理者或其他人员解释资产管理的概念和原理也是非常必要的。

为确定合作领域,必须利用各种工作区间、展示会、合作管理的见面会和其他机会。此外,信息交流也是必须的。

贯彻实施阶段是建立在详细的执行策略基础上的,这个阶段包含以下两个系列的活动。

(1)当前位置的评价:①数据资源的确认,包括精度和有效性;②所有系统、程序和实践活动的基准评价;③基准评价的弱点与力量的确认。

(2)资源与执行的确认:①资产集中管理的团体;②人员培训;③IT软件和硬件;④外部咨询的确定;⑤开发数据的搜集方法或每组资产的开发数据;⑥开发资产的替换原则或投资原则。

资产管理程序要求组织大量的投入。项目实施的最大成本要求搜集资产信息和资产登记开发。各类组织内的大量信息通常包含在手册、图表和规划中。在组织内,有经验的员工通常掌握着有价值的信息。这些员工通常有助于历史数据提供,这些数据很难通过正式的渠道获得。

6.5.2 资产管理信息系统

资产管理信息系统必须能够处理和提供基本的资产特征信息和运行信息(财政、结构和水力)。一项有效的资产管理程序的核心是对具体的资产进行存储和重新获取信息的能力,这些信息以固定方式充分地为战略规划和日常管理服务。

　　灌排资产的管理与运行需要具体的结构、财政和水力信息,这些信息必须包含在资产数据库中。人们期望数据库应与数字地图系统、地理信息系统、水力运行法则结合为整体,以帮助管理者对资产的空间位置和水力功能完成情况有一个可视化的操作界面。大量的数据存储和操作要求使用管理信息系统,图 6.8 提供了一项资产管理系统、维护系统和典型渠道灌溉系统的运行软件的例子。

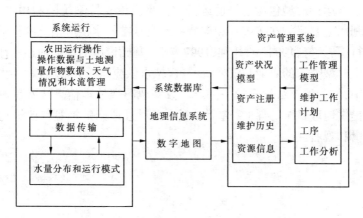

图 6.8　资产管理与运行的信息技术结构整合图

　　灌排组织内资产管理信息系统与信息技术系统的结合对于效益的最大化是非常重要的,只有合适的整体计划在开发各种信息管理系统的模型之前才能获得这种效益。

　　资产状况的信息跟踪、维护和工作管理模式是资产管理信息系统的主要组成部分。资产状况和维护表现在不同的方面。工作管理模型对所有的维护指令和修理工作(管理组织的相关的部分)进行处理。工作分析与管理指令的发出和维护工作的优先权保持同步。信息资源的数据包括人员时间、附件利用、设备等,这些数据可以存储在数据库中以便维护评价、执行和未来维护需求的估计等,这也包括部件的详细目录和与工作指令有关的花费。人们期望两个模型的完美结合能够确保资产状况的自动化升级。

如果一项信息技术系统在组织内部得到很好的应用,提供资产管理模型的所有整合因素是重要的。考虑评估与折旧,组织遵从资产标准是人们特别期望的。同样,组织的正常财政计划需要先进的投资评估系统和花费的发生信息,目的在于参与未来的财政规划并获得足够的资金支持。

运行模型包含了渠道运行和监督决策支持系统的利用,这种利用主要目的在于规划和支持系统及日常的水供应系统的日常运行(马兰努,1994 年;托利,1997 年)。基础设施的物理描述和计算机模型需求的农业与气候资料(模拟水供应运行)也隐含在计算机中,作为整体数据库的一部分。数字地图和地理信息技术也用于提供地理目录的界面,这个界面可以通过适当的标签修改进行编辑和观看。

第 7 章 灌溉排水服务的执行

　　模型阶段的战略规划一旦完成,就到了检查这些规划实施的时间。没有现实基础的规划是一种幻觉,执行审计的目的在于消除这种幻觉。

　　　　　　　　　　　　　　　　　——古德斯坦,1993 年

　　进行评估活动是在战略规划中设立的战略目标和运行规则所达到的测量手段。评估的执行与达到的效果和生产效率有关。执行这些功能并完成一定的任务是组织管理程序的基本工具。当灌排组织的基本功能只是为了供排水时,它们必须在一个比较宽泛的环境中运作,这种环境中水和其他资源分配必须与其他的经济活动相互协调。因此,灌排组织的功能执行,为了某种目的,也必须通过外部的组织或社会团体进行评价,这种评价过程要考虑到水资源系统的总量所设定的目标和农业灌溉生产率。

7.1　概念化框架

　　执行的概念起初源自于工业领域。在这些领域内,定向与过程的执行情况目的在于用较少的资源和时间完成其内在的功能。总体上来说,产品系统利用资源作为投入,这种投入又以产品的形式和通过产品制造过程中的服务转化成了输出形式。这些过程执行中的效率称为执行效率。按照这个定义方法,执行主要是一个物理概念。在商业领域,获取利润是高于一切的目标。执行不仅包括了产品生产过程中资源利用的效率,而且也考虑到了产品或服务的市场销售的可能性。产品满足客户的范围,是另一个主要的执行参数。在工业和商业活动中所有执行的监测相对来说是简单的,这种监测与单一的显示器结合在一起。这种显示器反映了以下几个方面的内容:

(1)投资的回收(玛丽、斯乃林,1993年)。使用这个单一的显示器是可能的,因为它表达了考虑到产品效率和产品与服务的市场销售情况。这些服务是客户满意程度的体现。这种显示器在观测私有公司或公共公司执行情况时是最常使用的。它允许股东或其他利益集团得出组织执行情况的鉴定结论。

但是,灌排组织执行的活动与商业或工业组织的活动有很大的不同,主要表现在:①灌排组织为客户提供服务是在一种垄断的环境中进行的;②灌排活动包含了复杂的具有内在作用的社会经济以及环境过程,这些过程有着位置明确的属性;③过程发生的灌溉系统的描述随着所执行的评价过程的变化而变化。

(2)最后的区别在不同的框架用于定义系统的范围和目的时是特别重要的。这些执行情况的评价取决于系统边界的设定,而且执行的经济概念包含的范围更广。从物理产品和商业概念的观点来看,它不仅涉及到资源的分配,而且还包含了同样资源的开发前景。这个经济概念指资源不能用来生产不同的产品情况下,有效分配的资源数量。这种生产产品更多的是由社会团体进行评价。在经济概念中,引入了两个因素:①所涉及过程的实际效率;②社会对最终产品的评价。例如,灌溉系统可以生产出高产量作物,尽管作物产量高,但是资源并没有有效使用。

灌溉农业和资源以土地、水、灌溉设施投资、农田设备和运行投入的方式加以利用,例如人力资源、工厂和设备。这些资源用于两个明显的过程中:①农业系统的食品和纤维产品的生产;②灌溉供水和排水服务。

上述两个主要过程的执行也应服从农业系统生产率的评价原则;同时,也应服从于灌排组织提供的服务成本和服务质量原则。灌排活动中不同的资金保管者在这两个过程中有着不同的利益。食品与纤维产品的生产和灌溉农业生产率是农民和政府的主要利益所在。在本章中,对于那些灌溉水的生产率考虑到与其他水利用户的关系,也对部分人有一定的利益,这部分人包括政策制定者、规划者和流域机构管理者。相反,服务内容的质量在一定情况下,首先要对灌排组织及他们的客户和政府有利。由与资源的使用相互联系的灌排系统产生的结果通常称为灌溉执行,这个概念也隐含在下面的灌溉执行概念中:"灌溉执行是灌排系统传输一定的服务内容的结果,这些服务内容有生产率、公平性、可靠性、持续性、可能性和生活的质量等。"这个定义可以用于评价不同标准的目标结果,这种结果对灌溉系统中不同的资金管理者会产生强烈影响。这些影响因素包括以下几项:

(1)农业的生产过程。这些过程决定着生产率、效率,并在一定程度决定着灌排系统的环境维持性。

(2)提供服务的灌排组织。

(3)社会团体的数量。这些团体受到灌排系统的影响。

同时也必须注意到,此定义仅仅指灌溉系统的执行,尽管它均等地应用在排水系统执行中。

在本书中,执行评估的主要内容集中于灌溉和系统管理的执行。本书的指导思想是灌排服务框架的研究成果的实施。不过,执行评估方面必须仅仅看做灌排广泛的执行评估框架的子项目,认识到这点是很重要的。下面一节讲述了对综合性框架的总观点,讨论的内容主要集中在服务传输中组织执行的评价过程。

7.2 执行的范围

尽管各类研究人员完成了相对大量的工作(IIMI,1989年;斯茅、斯文德森,1990年;玛丽、斯乃林,1993年;博斯,1994年),仍没有建立灌溉系统执行评价的共同协议框架。在建立这种框架的努力过程中,1999年IIMI-ILRI-IHE试图对该问题的定义找到明确的内容。这些工作为灌溉系统管理中要完成的执行任务提供了框架。本节将阐述本研究中所涉及到的一些概念,图7.1展示了灌溉排水执行中所提到的评价框架。在这个框架中,执行评价涉及到了两个主要方面:

(1)组织内部管理过程的效率,这个效率决定着灌溉排水服务的执行情况。

(2)总体上灌溉农业的资源利用的分配效率和生产效率。

在本章中,灌溉农业利用的资源是指农业产品生产过程中和组织管理过程中利用的所有资源,而组织管理过程直接为灌排服务。这些资源包括土壤、水、财政、基础设施、人力资源和农业投入,完成这些过程的效率决定了灌溉农业的总生产率和灌排组织的总效益。下节的重点是关于所有组织管理过程的评价。这些管理能够为灌排服务提供组织保障,这些内容构成了灌排服务的整体结构。

7.2.1 组织执行

组织内部的管理和运行过程的有效性决定着其灌排服务过程的执行程度。玛丽和斯乃林(1993年)在两个准则的基础上对组织执行进行了定义。这两个准则包括满足农民需求的主要系统管理者所影响的服务程度和在服务中灌溉系统的效率。这个定义重点集中在组织管理程序的两个明显方面,即:

(1)提供服务的执行情况,或叫服务过程中系统操作过程的能力。

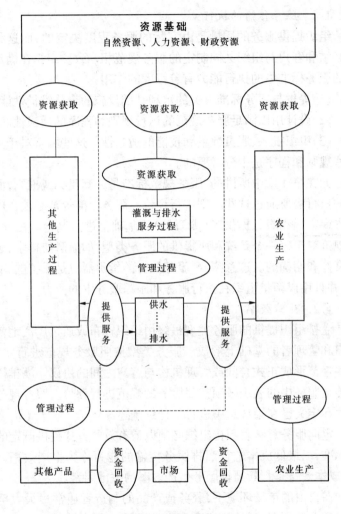

图7.1　灌排服务执行评价框架

这种服务的内容是组织管理者对农民和管理处公开的服务原则。

(2)生产和服务过程中发生的成本或资源的数量。

7.2.1.1 服务传输的执行

组织提供服务的质量是由实际的服务程度决定的,而这种服务必须和客户与组织共同制定的服务规范相一致。组织在满足一定的服务标准中的执行能力有着巨大的作用:

(1)提供与服务标准有关的水利基础设施的最佳维护性能。

(2)设计用以满足服务规范的运行规则和程序的适当性。

(3)组织投入、职员数量和技能的适当性。这些因素对于完成这些规则和程序是十分必要的。

如在第4章中所讲的,服务规范标准是一套目标或准则,而服务的执行需要通过这些准则进行评价。服务标准规范必须在广泛地咨询客户和服务提供者(灌溉处)的基础上进行制定。由此,服务规范对于每一个系统和所提供的服务类型,如灌溉与排水,必须是具体和明确的。这意味着,服务执行的指示器也是系统的、明确的,并且用以衡量组织在执行服务和跟踪服务中的能力。

7.2.1.2 生产效率

灌排组织提供的服务类型最终由组织宣布或通过广泛地咨询客户和管理者的基础上形成。服务类型按照服务规范进行定义,这些规范形成正式合同或管理机构与客户之间的协议。灌排机构在传输服务中的表现必须按照服务的规范进行评价。服务规范的属性和定义已在第3章中进行了详细阐述。

定向服务意味着灌排组织必须以最有效的方式提供既定的服务标准,以最低成本进行灌排服务传输的能力称为生产效率。因此,成本效益是判断灌排服务生产效率的关键因素。

在自由的市场环境下,服务或产品的制造者通常尽最大努力获取最大的利润,利益目标和完全的市场竞争确保了产品和服务以最低的成本进行生产以达到最高的生产率。

然而,如果产品和服务发生在自由市场经济条件下,我们可以推测分配效率在微观经济标准上也可以达到。

灌排组织也利用资源作为运行投入以提供服务。但是，把资源从它们的商业和工业相互匹配的特征中分开的两个重要特征是：

(1)他们处在垄断位置,因此通常没有高生产率的动力。

(2)他们并不想寻求最大的利润,尽管他们可能需要获得空前的回收率。

因此,清晰而又有效的责任机制必须确保以最有效的成本效益方式提供服务。组织提供服务的效率决定着服务的成本,这个成本是灌排组织利用人力资源、基础设施资产和其他投入提供服务的主要标志。

7.2.1.3 管理执行

服务方向的主要转移意味着在组织提供服务中以管理的方式进行综合性的文化内容的转移,这包含了内部管理过程和组织责任两个方面。组织的评价是决定战略目标和运行目标阶段获得程度的一个基本要素。管理执行涉及到组织制定和贯彻灌排服务规划的能力,它主要讨论管理条件建立的质量、有效性和管理过程。这些过程不断地发生在组织内部,因为它担负着一定的功能并完成一定的义务来服务于其基本目标。组织执行是作为一个整体的灌溉系统内有关其他领域运作的一个关键性因素。组织内部有一些执行领域,这些领域是通过一套有关的技能、程序和能力等因素来确定的（康斯特保、马兰努,1997 年）。这些领域和组织结构及过程有关,这些过程蕴涵着一个有效的生产过程。执行领域描绘了执行的总体概况和类型,这些类型可以通过评价进行观测和证实。这些领域中,有些不能进行定量评价,只有执行的评价才能进行定量评价。执行领域内质询包括组织管理和行政管理。组织管理是指完成组织工作的人和资源,有效的组织管理可以通过服务的容量来展示。这种管理的实现形式以一种审慎的、有计划的方式进行。好的管理者有一个清晰的目标和优点，他们知道可以依靠谁去做某件工作，并且谁能代表他们通过何种措施来完成工作；他们也知道操作的一些细节问题，并不断地监督着这些管理工作。一个有效的管理氛围可以通过团队工作、协作和职员之间好的沟通来表征。管理技能的匹配是关键管理系统的存在方式和使用形式，这些匹配包括政策、措施程序等，这些程序调节和指导着管理行为。成熟的组织设计包含了有效的子系统，例如人事、预算、账目、财政管理和管理信息系统。

1）商业倾向

商业倾向是成本效用和运行效率驱使的机构作用的程度和范围。这种倾向可以看做政策和运行两个标准，这两个标准都是很重要的。商业倾向在政策标准上是重要的，因为大量税收按照惯例是通过财政补贴来进行的。如果存在一些补贴，那么它应当固定在具体的领域内。权力机构可以通过政策决策来补贴这些差额，而不是提供一个空白的补贴政策。从运行操作来说，每日的活动是由质量标准、恒定成本因素以及获得财政资源的最佳使用权来指导的。

2）客户倾向

客户倾向代表了定向服务的中心或焦点，并且这种倾向使机构的服务成为客户或终端用户的组织和指导原则。有效组织的员工把服务客户看做他们主要的功能对象。在这个前提下，所有的工作、程序和革新改造都是为了提高工作效率、效能和对客户服务的公平性。每个级别上的职员都知道这种倾向，并把它看做管理工作中日常的运行决策依据和行为。有效的机构与客户之间有着可行的相互作用机制。当出现危急情况时，这些机构为客户提供及时的帮助。这些紧急情况发生时，这些机制会清楚确定对订购水量或对服务质量有争议的地方进行仲裁。感兴趣的客户可以向有影响的政策制定机构提出建议。

3)技术能力

技术能力是机构完成技术工作能力的表现形式。这种技术工作需要组织完成一些责任和义务大部分技术工作是由有资格的、有技能的雇员直接完成的。

4)人力资源

员工的发展与维持包含了以下活动,如新雇员的招募,做某项工作的技能培训,专业化的提升过程,为雇员提供适当的、满意的工作环境、工资和福利等。有效能的机构会开发和维持他们的人力资源,这既包括正常的培训,也包括培训信息。这些信息的产生是通过特定培训、学徒过程和工作的转换等方式完成的。除了技能转换是有规律的过程外,有效的组织也维持职工的工作状况。这种维持工作一般是通过提供足够的动力、补偿并发放雇员福利、提供职位晋升机会等进行的,这样可以产生一个最小的周转量。开发和维持职工工作条件的机构会把人看做是最重要的资产。

5)组织文化

组织文化可以通过一系列价值、标准来表达,这些价值和标准对每天的管理行为具有指导作用。组织文化形成了利益分配的类型和状态,这种组织文化可以转化为可以观察到的行为。组织文化以大量的带有倾向性或非倾向性方式进行传递。尽管很少被提到,但是文化信仰、行为和工作态度常用做决定和判断组织文化的强有力工具。组织机构的一个重要因素是组织如何应付变化和危机。当发生重要变化时,例如新技术的采用、新领导层的变化以及组织结构重组等,人们通常需要改变他们的运作方式。组织如何通过重新组合起权利以支持改革是检验组织能力大小并反映组织结构是否健全的标志。

6)与外部关键机构的相互作用

从战略上或积极意义上影响财政、政治和执行法律能力的组织容量是机构与外部机构之间量度的手段。组织的执行情况受到了外部环境中许多实体的影响,这些实体包括政治方面(上级主管单位)、财政方面(预算和财政部)和调节处(州/省政府)。开展这些活动会影响到组织的管理,并需建立一些策略来应付这些活动的开展。

7.2.2　分配的执行

在前几节,我们已经建立这样的概念,即当以最有效的方式提供服务时,灌排组织可以获得最大的生产效率,因此有效生产率主要由组织的外部管理程序的质量决定。灌排系统中资源利用的选择性评价在考虑到社会对资源的使用方面可以进行。从社会的角度看,资源的有效分配意味着同一资源不能用来生产任何社会认为更有价值的可选择性成果(利普斯,1987年)。分配效率的概念既可以应用在对农业生产过程的投入方面,也可以用在灌排服务提供的资源利用上。资源的利用包括自然资源、水土资源和灌排系统基础设施的投资等。这些投资主要是农田、操作运行的投入,如人员培训和农业耕作的投入等。灌溉农业的分部门对水资源的配置效率在以下三个运行方面受到决策的影响:①政府和流域机构;②灌溉排水组织;③用户。

对社会发展日益重要的是水资源在各个领域的不同配置效率,这种认识和评价应当在整个流域的各个部门得到贯彻。农业用水在大量耗费的同时,城市供水也需要及时满足以改善城区大部分人的生活质量。另一个水资源配置的例子是工业水资源的利用可以为社会产生较多的经济产品。资源配置的评价包含一个对所使用资源配置决策的评估过程,这些决策的类型可以在水资源系统的各级管理部门确定下来。在流域各基层单位的水量分配中,政府和相关的流域机构发挥着重要作用。在水资源配置的决策过程中,灌排机构的政策导向和表现行为起着重要作用。例如,农田水资源的利用率和农业生产率在很大程度上受到灌排服务质量的影响;服务的价格政策对处于灌溉期的农田作物有影响;灌溉排水服务成本的全部回收将转化成水价,这种水价反过来会提升作物的价值;灌溉调节器在农村企业生产中起着决定作用,这种作用是通过提高水的管理的质量和管理活动来实现的;更多的生产性调节器会获得较高的生产率和单位资源利用的回报率;社会也期望增加维持水资源的环境质量。在第 2 章中,我们曾经讨论过在广泛意义上的整体水资源管理的利用。在本章中,灌排活动相互作用,并经常直接与其他的水资源利用和防止环境污染等领域产生竞争。在水质方面,对农业供水的负面影响是重要的管理因素之一,这些因素必须在满足社会对环境质量的期望方面得到很好的解决。

因此,灌溉的环境执行情况被称为在降低环境影响的情况下增加农业生产率的能力。在水资源分配和使用以及其他投入方面,执行的低标准也会导致人们不期望产生的影响效果。这样,低的环境执行标准是低的资源配置的结果。例如,低标准的水管理实践活动,由于大量的用水会引发涝灾和随之而来的农田盐渍化;过多的施肥会引起径流中的营养物质过多和河流、小溪及水库中水质的恶化。

7.3　执行评估

7.3.1　执行观测

以前定义的所有的执行类型可以通过适当的指示器和量化指标进行观测,这些指示器和测量装置可以测量目标达到的程度和任务完成的状况等。有几个层次的管理者对不同灌排的执行情况很感兴趣。在各级水平上,例如政府、流域机构和农业组织首先对灌排执行的配置感兴趣。在不同级别上,政府、组织管理处和客户主要对目标达到程度的量度标准、任务实现、战略规划的实施等情况感兴趣。在实现目标、目的和战略计划制定的任务中,需要监督过程,监督是指信息的搜集和向评估执行的传递等。监督执行要在整个生产过程中进行,以使管理及时做出投入的调节,以便投资在正常渠道中使用,这使得关键的指示器监督成为必要的过程。这种指示器可以在战略目标实施中进行观测或计量。在这点上,数据和信息的重要差别必须加以明确区分。数据必须经过处理成为一种形式。这种数据在通过有用的信息支持决策中是非常有效的,支持的过程是通过主要监督数据的评价来完成的。评价是信息的处理过程,这种评价过程通过检查目标和战略规划来实现的,同时比较过程是通过当前的标准或目标原则以及战略规划的任务监督来完成的。这个过程考虑到了规划战略的有效性和假定条件的准确性。评价过程应当看做是一个内部分析和基于有效反馈调整的处理过程,它与建设项目不同,建设项目存在着一个相对固定的输入产出关系。在系统管理中,有许多可能的关系是他们自己所不知道的。因此,评价过程变成了一个管理学习过程的组成部分。

对于适当的执行方案,它的措施、设计和选择与所评价领域执行的目标和属性有密切的联系。执行指示器是一套具体的测量参数,这些参数是行为和程序的表现形式,它与执行的类型有关,这些执行类型与完成标准的指示程度要相符合,因为当前运行机构成功执行的观测是非常有用的。标准和所相关的指示器通常由政府或其他团体加于外部组织,并且指示器变成客户服务合同的一

部分。1990年,斯文德森把执行指示器分成了三个类型:

(1)过程指示器。它与系统的内部运行有关。该系统会产生输出过程,例如组织的技术容量、技术基础设施财产的执行和预算分配等。

(2)输出指示器。它描述系统输出的质量和数量。指示器可以用来表现服务规范的特征,例如供水服务的数量和时间、水的分布压力等,这些是典型的指示器输出类型,它们在服务合同的条款实施中用来测量服务的执行情况。

(3)影响指示器。它与较广泛的环境输出类型的影响有关。例如作物产量、农民的收入、涝灾和盐渍化水平等。

在摩洛哥的 ORMVAM 灌区,三种指示器的应用情况用框图 7.1 进行了详细的说明。1994年,博斯提出了执行分析框架,该框架具有一套标准指示器。这些框架已经被确认,并在灌溉系统评价的基础上进行了选择。我们提倡宁可坚持一套标准的执行指示器,也不进行违规的操作行为。这些标准指示器必须进行调整和选择以具体地完成目标和任务,这些目标和任务在被测量的执行领域是已经确定的。选择指示器时,存在许多人们必须考虑和期望的特征,具体表现如下:

(1)它们必须对于所描述的情况进行明确的定义。

(2)这些指示器应当在现有的条件下以可以接受的费用进行精确的测量。

(3)它们应当以具体的精确的方式显示"条件的状态"。

(4)它们应当提供无偏差参数测量结果。

(5)它们应当被认定和同意,并且在组织提供和服务接受两个方面是可以测量的。

框图 7.1 　摩洛哥 ORMVAM 灌区中使用的执行指示器的例子
（胡夫根，1996 年）

指示器	公式	值(1995/1996)
输出指示器		
足量	供水体积 + 有效降雨 / 水需求体积	0.78
可靠性	实际传输量 / 计划传输量	1.01
过程指示器		
服务成本 (包括分期偿还和基础设施)	服务总成本 / 订购水量体积	0.035US $ /m³
水供应效率	水量销售体积 / 水库放出的体积	0.82
泵站(13pc.)	抽取每立方米水量的 能量消耗	0.002 2 ～ 0.006 1 kWh/(m³·m)
	抽取每立方米水的成本	0.008 ～ 0.043 US $ /m³
影响指示器		
作物单位面积产量	产量总价值 / 作物灌溉面积	2 520 US $ /hm²
单位灌溉供水的产量	产量总价值 / 变更的灌溉供水量	0.41 US $ /m³

7.3.2 监督与评价系统

具有巨大意义的执行评价需要一个有效的监督系统和评价系统(MES)以便贯彻执行。灌排系统中 MES 的贯彻意味着搜集和处理信息过程能力的增加。设计 MES 来满足管理的需要和能力的需求是重要的。管理结构的标准信息也可以加以利用。

在 MES 的运行过程中,存在两个主要的时间框架。MES 允许管理者对战略规划的执行情况有周期性的了解。过程监督的类型和指示器的属性取决于每一项灌溉系统和工程的具体需求。为此目的,所需要的信息和数据类型可以周期性地进行编辑、分析和用以管理。系统运行和监督需要将数据和信息转到农田的操作人员手里,它们的反馈以实时方式接收,并作出水流控制的决定以满足规定的服务标准。

灌溉系统建立 MES 的详细过程随着不同的灌溉管理部门的具体的行政管理结构的不同而变化很大。在任何情况下,系统应当能够通过系统数据采集、评价、传输和提炼(反馈)支持管理工作。在建立 MES 过程中,建议通过下面的几个步骤进行:

(1)确定 MES 的目标和目的。这一点是管理处的动力所在,并且在组织内的战略规划是具体的。

(2)建立步骤、格式和适量的信息渠道以满足组织管理和具体的战略规划的需求。

(3)在 MES 内培训和分配员工具体工作任务。

(4)同时在灌溉管理处、行政区和指挥中心贯彻 MES,并为各级标准建立清晰的、起作用的责任机制。

(5)建立和调整周期性的报告计划(每周、每月、每季、每年)和传输与反馈渠道。

(6)在监督过程中通过定义有显示的指示器,建立适当的信息采集评价方法。

(7)建立指示器的作用步骤。这个步骤不包括系统调节优先权的评价过程。

(8)建立年执行评价系统。该系统用以评价 MES 的项目和程序的变化、格式和满足项目目标的渠道等。

有时,灌溉管理处以两个或更多的单元的方式建立 MES。在这种情况下,每个单元执行着一定的监督和内部活动的评价任务。当监督和评价任务与具体的项目而不是和灌溉管理处整体有关时,这种安排是必要的。在这种安排中经常遇到的问题是信息不能在各部门之间流动。

经常建立高级的安排内容作为"独立单元",这种安排布局可以从组织各部门中采集信息。如果组织有各种标准,例如中心标准、地区标准和行政区标准,尽管只与组织单个水平活动有关,但是这种单元必须在各级组织水平上进行模拟和复制。这个过程在地区系统标准上开始进行逻辑上的数据集中,然后发送到指挥中心。每个水平上的信息集中都有特殊的意义。通过这种方法,每个级别上的管理者要对中心管理的执行负责,并且同时以较低的标准对执行情况进行调整。

第8章 未来的发展之路

我从来没有想到未来，它不久会自动到来。
——阿尔博特·爱因斯坦，1879～1955年

灌溉排水处在了十字路口，正面临着多方面的挑战。食品生产的日益增加必须在激烈的水土资源的竞争和环境调节条件下通过提高生产率来达到。这就是说灌溉排水系统必须存在着跳跃式发展，这种发展要求对定向服务的转移要有规范的模式或方式，这种向定向服务的转移必须形成灌溉领域内日益增加的研究成果革新的基础。灌排基础设施更新所需的投资为促成范例的转移提供了机会。在本章中，在建立灌排组织的管理项目时，投资必须投向迫切需要的项目。同样，质量管理方法的使用和在商业和服务领域内的使用标准在完成范例转移中起着重要作用。

8.1 概要

在本章中，我们想反复强调灌溉排水领域内面临的一些重要的难题或挑战。在迎接这些挑战时，前面讲述的内容和概念起着重要作用。在阐述灌排管理方法中，我们的主要目标是为满足客户需求而进行的灌溉供水和多余水量的排除。客户这个词在本书中一直提到，目的在于强调它作为服务承受者所起的作用。但是，管理组织这个词的使用是为了表明它是服务的提供者。在本书中，这两个词融合在一起形成了管理方法的实质，即灌溉排水是具

有定向服务的管理。在头脑中要具有这种前景意识,我们也想强调这样一个难得的机会,即未来政策的制定者、规划者和管理者要利用这个机会贯彻使用这种管理方法,并与其他的技术革新一起促进灌溉事业的发展。抓住这个机会对于迎战灌溉排水面临的挑战是至关重要的。

8.2 许多难题——一个共同的答案

8.2.1 消除贫困和食品供应

贫穷减少了人们获取食物的能力和其他基本的生活之需。大部分人都知道,农业产量的增加需要增加农业人口的收入。尽管城市化的发展迅猛,但是有 70% 以上穷人生活在农村地区(1997年,世界银行提供)。由于从事农业是大部分人的收入来源,因此农业仍然是农村地区人们提高生活水平的有效手段。从 2020～2030 年食品需求与供应的预测显示,地区性食品短缺会发生在非洲和亚洲某些国家。尽管全球的粮食生产足以满足世界人口的需要,但在这些贫穷地区,获得食品的方法由于缺乏与国外的贸易交流而受到限制。

在消除贫困的任务中,人们期望灌溉排水能起到重要作用。可以设想,这种大量的额外的食品供应会来自现有的灌溉开发和灌溉效益。这必须对现有的灌排执行的情况进行大的改进,从而也必须提高管理的标准。

8.2.2 资源利用

在全球经济结构中,灌溉农业会面临着日益激烈的用水竞争、土地竞争和其他资源的竞争。各个子部门的用水竞争在未来的几十年内很有可能减少灌溉水的使用。在一项全球范围内水综合利用的研究中,1998 年赛克莱把全球的国家分成五组,他的分组是按照国家的水量和开采现状进行的。研究表明,占世界 8% 的人口生活在第一组国家中,这组国家到 2025 年将面临着严重的水荒。同一研究也得出结论,50% 的粮食需求可以通过增加灌溉效率得到满足。确实,假设我们展开想像力思考一下,如果在过去我们致力于水利用效率的改善,那么我们的粮食生产和食品供应的状况会更好些。这种预测是建立在各国水量平衡基础上的。在流域水平上的相似研究可能会恶化这种情况,因为许多流域的水量开采受到几个因素的限制,它们包括:

(1)水量的暂时变化。特别在低流量时期要与灌溉的最大需求相符合。

(2)由于过度污染或在河流三角洲地区海水的侵袭而造成的水质下降。

(3)日益增加的河流水量的需求以维持浅层地下水环境和防止海水的侵袭。

(4)集水区域的标准下降会导致泥沙的沉积和河道内水流巨大的改变。

8.2.3 环境影响与可持续性

灌溉排水活动经常引起土壤和水的负面效应。在几天之内,这些影响就会发生。有大量的灌溉区受到了涝灾和盐碱化的影响。灌区管理活动的疏忽和较差的地理条件经常会造成涝灾和海水侵袭。目前,据估计世界上大约有 15% 的灌区受到涝灾和盐碱化的影响。排放水的处理经常降低了水质,使得所接受的水不能再用于人们生活、动物饮水和农业用水。由于社会意识到环境问题的日益加重,人们期望,灌溉管理者不仅需要对灌溉客户负责,而且要对整个社会负责。管理者应当对资源的利用和影响进行详细的审查和研究,这种影响是灌溉排水活动对周围环境造成的。因此,灌溉管理处必须在水资源整体化管理的背景下,提高灌溉排水运行的可持续性。在这样一个环境下,灌溉管理处要直接对流域管理组织内的客户和社会负责。管理组织的责任是整合与管理多样化的水量利用和各类水量用户。近年来,流域机构和环境保护组织把各类管理规定、标准,例如水流标准等不断地强加在灌溉排水领域。在未来,灌溉排水组织也有可能需要满足一定的水质标准作为它服务规范的内容之一。

灌溉农业确认了几个方面需要可持续的维护与发展,它们包括:

(1)环境。可接受的环境影响。

(2)基础设施。长期的资产运行。

(3)产品。在服务和产品的质量上真正地得到增加和提高。

(4)社会。对所有的管理者都是可接受的。

(5)财政。维持农业和其他用户的财政生命力。

灌溉排水的负面影响和随之而来的可持续性的缺乏大致上是由灌溉排水低劣的管理行为造成的。水管理不善会导致灌排服务质量的降低。在基础设施、社会和财政方面的服务质量主要由管理处的运作环境、组织内部管理过程的质量以及与客户的关系来控制。在竞争日益增加的用水环境中,运行状况的改善需要制定很好的灌排服务的规范。创建一个环境是政府的责任,在这个环境中,管理处能开发他们内部的管理过程。这种管理过程的重点是提供服务以满足客户的需求和社会的期望。

总之,要达到消除贫困的目标,增加粮食储备,提高资源利用效率,降低负面的环境影响,改进环境的维持功能是一个共同的责任。这个责任体现在通过基于明晰的管理过程的定向服务管理、整体水资源管理中责任机制的有效性,以达到改进灌溉执行情况的目的。

8.3 现代化、改革与探索

如在第 7 章阐述的那样,灌溉的执行情况可以从两个观点来讨论:

(1)在管理灌排服务的组织内管理过程的效率。

(2)灌溉农业中资源利用的生产效率和分配效率。

在提供服务和农业生产过程中,灌排服务的传输效率被看做是提高灌溉农业生产率和资源配置效率的重要因素。

灌溉排水中改革的缓慢步伐和变化记录得非常清楚。改革与新技术的采用不仅仅落后于经济发展的其他方面,更落后于农业生产中的灌溉排水直接支持农业发展的高新技术(世界银行组织,1990 年)。在定向管理服务中,有责任的灌溉管理处需要对客户的不断需求提供可靠的、灵活的服务。改革与管理现代化是灌溉管理处满足这些需求的必要条件。

要达到组织执行标准,提高生产效率,需要采用大量的先进技术,这些技术对于组织管理者来说是很容易利用的,并可以提高水管理质量和水分配管理。此外,还需要增加大量的投资用于研究与管理,以使这项技术适合于灌排管理组织具体的运作条件。

如果在灌排系统管理的主要方法中,不存在基本形式的转移,从技术上驱动这种方法的硬件设施会缺乏目标,这样的转移必须趋向于具有明确服务内涵的管理系统。在创建环境中,这是一个关键因素。这个环境鼓励在农业范围和管理领域内进行技术革新。在发达国家,农田水管理的许多可以利用的技术已经开发出来,并一直在使用。这些发达国家总体上来说有一个共同的特征,即管理处具有高标准服务的内容。这些灌溉管理处有责任并且有能力对他们的客户需求负责。

如在第 5 章所讲,供水系统的现代化并不意味着高新技术的使用,而是一种变化。这种变化使服务的改进和水力控制技术能够提供高标准服务。现有灌溉系统现代化的指导原则必须是既定的、公开的服务标准。这种标准在现有的技术和成本水平上是必须完成的。这是服务标准制定的实质内容。

8.4 机遇

解决灌排技术面临的难题需要在服务的转换中有一个典型或范例,这个典型或范例就是灌排系统服务的定向性转移。这种转移过程在许多灌溉发达的国家通过灌排部门的未来的干预过程来实现。据估计,现有 50%～70% 的基础设施需要某种先进的技术以提升(恢复或现代化)操作的效率,改进目前的状况。这提供了很大的利用机会来引起所需要的技术和管理的巨大变化。

现代化的目标在于提供改进的服务标准,首先包含改进供水的灵活性和灌溉的可靠性。这样改进工作既包括了物理的、组织的变化,也包括管理的变化。缺乏对这方面的强调就不会产生潜在的生产效率的改进。进一步来说,依据当前政策的努力方向,减轻农民负担的努力不可能获得执行利益,这些努力是为了应对未来各领域的挑战。必须把建设灌溉容量和水资源管理组织看做优先的投入以达到这些执行的目标。为了扭转灌溉排水投资过去失败的局面,我们的解决办法是水利基础设施的投资应当比所需的机构管理容量超前或与之平行进行。扮演领导角色的灌溉管理处在管理形式的转换中起着重要作用,与开发项目有关的组织容量方面需要给予比过去更多的关注。这经常意味着组织的容量与项目保持更长的时间,并且项目的组织方面需要在基础设施发挥作用前处于合理的位置。

8.5 确保未来管理的质量

灌溉农业的高效运作与灌排服务紧密相连,要达到这个目的需要引进系统管理的定向服务,并且这种管理要将重点集中于定向管理、运作透明度和责任心。只有当对这个问题有高度的认识并能够找到解决的答案,有必要的政治干预时才会产生这些变化。这不仅需要灌排领域内管理与机构容量的开发,而且在水资源领域内也有巨大的开发任务。尽管在商业公司管理、公共机构向客户义务的转化以及其他经济领域进行了巨大努力,但是,这种运动对灌溉管理处的管理、公共领域或其他私有和公共的公司并没有益处。定向管理服务涉及到组织精神转化,当服务目标只有在组织战略规划中才能实现时,商业和工业领域使用的管理工具在提升灌排服务质量中起着重要作用。管理质量的标准已由国际组织标准委员会开发完成,有 9 000 多条标准广泛地应用在商业和工业领域。管理标准的贯彻和需求需要有更多的认识来确认潜在的利益,这种利益产生于灌排标准的采用和执行。灌溉排水对环境的影响也可能促进了环境管理系统的有效贯彻和实施。国际标准化组织制定的 14 000 条标准,其贯彻的范围涵盖了公共组织和私有化组织以及行政管理部门等。

缩写词与首字母缩拼词

CBD	折旧成本
FAO	联合国粮农组织
FMIS	管理灌溉系统的农民
ICWE	1992 年都柏林国际水环境大会
IDB	美国国际发展银行
IDTC	国际发展技术中心
IFPRI	国际食品政策研究院
IHE	荷兰德尔伏特国际基础水利与环境学院
IWMI	国际水管理学院
IWRM	水资源一体化管理
O&M	运行与维护
ORMVAM	农业评估区域办公室
SAR	社会管理区域
SCADA	监控与资料查询
UN	联合国
UNCED	联合国环境与发展大会
WUA	水用户协会

参 考 文 献

[1] Ackoff R. 1981. *Creating the Corporate Future*. John Wiley & Sons. 297 pages

[2] Ankum P. 1991. *Flow Control in Irrigation and Drainage*. Lectures Notes. International Institute for Infrastructural, Hydraulic and Environmental Engineering. Delft, The Netherlands. 293 pages

[3] Ayers R S, Westcot D. 1976. *Water Quality for Agriculture*. FAO Irrigation and Drainage Paper 29. Rome, Italy. 97 pages

[4] Banyard J, Bostock J. 1998. *Asset Management-Investment Planning for Utilities*. Proc. Instn. Civ Angrs. Civil Engineering 1998. Paper 11423. Vol 126: pp 65~72

[5] Bos M G, Murray Rust D H, Merrey D J, Johnson H G, Snellen W B. 1994. *Methodologies for assessing Performance of irrigation and drainage management*. Irrigation and Drainage Systems Vol 7 No. 4 pp 231~262. kluwer Dordrecht

[6] Briscoe. 1997. *Managing Water as an Economic Good*. In M. Kay e. a. (eds) Water: Economics, Management and Demand, pp 339~361, E&FN Spon, London

[7] Burton M, Hall R J. 1998. *Asset Management*: *Addressing the issue of Serviceability*. Asset Management Workshop. Afro-Asian Conference, International Commission on Irrigation and Drainage, Denpasar, Bali, Indonesia. 14 pages

[8] Buyalski C P, Ehler D G, Falvey H T, Rogers D C, Serfozo E A. 1991. *Canal Systems Automation Manual*. Vol. 1. US Dept, of the Interior, Bureau of Reclamation

[9] Carruthers I. 1993. *Going, Going, Gone! Tropical Agriculture as We*

Knew It. Tropical Agricultute Association Newsletter (United Kingdom)
13(3):pp 1~5

[10] Constable D, Malano H M. 1997. *Corporate Planning and Human Resources Development*. Lecture notes. International course on Water Resources and Irrigation Management. University of Melbourne 141 pages

[11] Daft R L. 1995. *Organization theory and design*. 5th ed. St. Paul: West Pub. Co. 543 pages

[12] Du Buat P L G. 1786. *Principes d' hydraulique, verifies par un grand nombre d' experiences faites parordre du gouvernement*. 2nd edition, Paris 1786. Chapter 3

[13] Food and Agricultural Organisation of the United Nations. 1992. *Wastewater Treatment and Use in Agriculture*. Irrigation and Drainage Series No. 47

[14] Food and Agricultural Organisation of the United Nations. 1994. *Water Policies and Agriculture*. Special chapter of the State of Food and Agriculture 1993. Rome, Italy. pp 228~297. FAO, Rome

[15] Food and Agricultural Organisation of the United Nations. 1996. *Food Production: The Critical Role of Water*. Advanced edition background paper for the World Food Summit September 1996. 61 pages. FAO-Rome

[16] Gaff D C. 1987. *Value Management — Maximising the value of everything your business should do for every dollar it will spend*. Conference on Engineering Management 1987. The Institution of Engineers, Australia. National Conference Publication No 87/12

[17] Gerken L(ed). 1995. *Competition among institutions*. Houndmills, Basingstoke, Hampshire: Macmillan Press; New York. 232 pages

[18] Goodstein L, Nolan T, Pfeiffer J W. 1993. *Applied Strategic Planning: A Comprehensive Guide*. Mc Graw Hill, Inc. New York. 379 pages

[19] Graaf, M. de, W. van den Toorn. 1995. *Institutional context of irrigation management transfer*. Johnson S. H. et al. Irrigation Management Transfer. Selected Papers from the International Conference on IMT, Wuhan, China

[20] Grigg N. 1996. *Water Resources Management*: *Principles*, *regulations and cases*. Mc-Graw Hill. New York. 540 pages

[21] Hardin G. 1968. *The Tragedy of the Commons*; Science Vol 162, 13 dec 1968 pp 1243~1248

[22] Hofwegne P. J. M. van. 1996. *Accountability mechanisms and user participation in three agency managed systems in Morocco*, *Indonesia and the Netherlands*. In ICID, 16th Congress on Irrigation and Drainage, Cairo, Egypt, 1996: Sustainability of Irrigated Agriculture-Transactions, Vol 1. B, Q. 46. R. 2. 03. ICID-New Delhi, India: pp 231~244

[23] Hofwegen P. J. M. van. 1997. *Financial Aspects of Water Management*, *an Overview*. In Hofwegen P. J. M. and E. Schultz, Financial aspects of water management, Proceedings of the 3rd Netherlands National ICID Day. A. A. Balkema, Rotterdam, the Netherlands. 113 pages

[24] Hofwegen P. J. M. van, Belguenani H, Kassimi A E. 1996. *Use and Utility of Performance Indicators*: *Triffa Scheme secteur 22*, *ORMVAM de la Moulouya*, IHE-IIMI-ORMVAM Research Programme on Irrigation Performance. IHE-Delft

[25] Hofwegen P. J. M. van, Malano H M. 1997. *Hydraulic Infrastructure under Decentralised and privatised Irrigation System Management*. In: Deregulation, Decentralisation and Privatisation in Irrigation, DVWK Bulletin No 20. pp 188~216, German Association for Water Resources and Land Improvement

[26] Hofwegen P. J. M. van, Jaspers F G W. 1999. *Analytical Framework for Integrated Water Resources Management*: *Guidelines for Assessment of Institutional Frameworks*. IHE Monograph 2, Balkema Publishers Rotterdam/Brookfield, 96 pages

[27] IDB. 1997. *Integrated Water Resources Management*. Strategy Background Paper, IDB-Washington D. C

[28] IIMI. 1989. *Managing Irrigation in the 1990 ' s*: *A Brief Guide to the Strategy of the International Irrigation Management Institute*. Sri Lanka

[29] IIMI-ILRI-IHE. 1999, Synthesis Report on Research Program on Irrigation Performance RPIP (In preparation)

[30] ILRI. 1979. *Drainage Principles and Applications*. ILRI Publication No 16

[31] IMEA. 1994. *National Asset Management Manual*. Institute of Municipal Engineering, Australia

[32] ICWE. 1992. International Conference on Water and the Environment: *Development issues for the 21st Century*. The Dublin Statement and Report of the Conference. Dublin, Ireland. 44 pages

[33] Jensen M(Eds.). 1980. *Design of On-Farm Irrigation Systems*. American Society of Agricultural Engineers. 829 pages

[34] Kotle P. 1994. *Marketing Management : Analysis , Planning , Implementation and Control*. Prentice Hall International. Eight Edition. 801 pages

[35] Lal R, Pierce(Eds.). 1991. *The vanishing resource*. In Lal and Pierce Soil Management for Sustainability. Soil and water Conservation Soc. Ankeny. pp 1~5

[36] Lal R, Steward(Eds.). 1992. *Need for Land Restoration*. Advances in Soil Science, Springer Verlag, New York, pp 1~11

[37] Lal R, et al. 1988. *Are intensive agricultural practices environmentally and ethically sound?* J. Agr. Ethics 1: pp 193~210

[38] Lee P, Hofwegen P. J. M. van, Constable D. 1997. *Financial Management Issues in Irrigation and Drainage*. ICID Journal. Vol 46:1 pp 49~64

[39] Lee P, Malano H M, Caliguri E(Eds.). 1998. *Planning and Management , Operation and Maintenance of Irrigation and Drainage Projects*. World Bank Technical Paper 389

[40] Lenton R W. 1986. *Accomplishments , Porblems and Nature of Irrigation in International Development*. Symposium on Irrigation, Its Role in International Development-Benefits and Problems. Annual meeting of the Amer. Assn. For the Advancement of Science, Philadelphia

[41] Lindley E. 1990. *Asset Management Planning : Theory and Practice*. Journal of Water and Environmental Management, Vol 6, pp 621~627

[42] Linsley R K, Franzini J B. 1979. *Water Resources Engineering*. McGraw-Hill Series in Water Resources and Environmental Engineering. N. York. 716 pages

[43] Lord W B, Israel M. 1996. *A proposed strategy to encourage and facilitate improved water resources management in Latin America and the Carribean*. IDB-Washington D C

[44] Lipsey R G, Steiner P, Purvis D. 1987. *Economics*. 8th Edition. Harper & Row Publishers, New York. 942 pages

[45] Lowdermilk M K. 1981. *Social and Organisational Aspects of Irrigation Systems*. Lecture for the Diagnostic Analysis Workshop. Water Management Synthesis Project, Colorado State University, Ft Collins, Colorado

[46] Malano H M, Nguyen V C, Nguyen T K, Dung V C, Bryant M, Turral H N. 1997. *An Asset Management Framework for the La Khe Irrigation Scheme*. Seminar on Irrigation Water Management in the Red River Delta, Vietnam. 12 pages

[47] Malaterre P O. 1995. *Regulation of Irrigation Canals*. Irrigation and Drainage Systems Vol 9. No. 4. pp 297~372. Kluwer Dordrecht

[48] Metcalfe A V. 1991. *Probabilistic Modelling in the Water Industry*. Journal of Water and Environmental Management, Vol 5, pp 439~449

[49] Milne L. 1972. *Techniques of Value Analysis in Engineering*. 2nd Edition. McGraw-Hill Book Co. New York. 366 pages

[50] Ministry of Public Works. 1986. Irrigation Design Standards; Vol KP-05: Tertiary Units, Directorate General of Water Resources, Indonesia

[51] Moorhouse I. 1998. *Asset Management of Irrigation Infrastructure : The approch of Goulburn-Murray Water, Australia*. Asset Management Workshop. Afor-Asian Conference, International Commission on Irrigation and Drainage, Denpasar, Bali, Indonesia. 16 pages

[52] Morris J. 1987. *Irrigation as a Privileged Solution in African Development*. Development Policy Review Vol 5, pp 99~123

[53] Mudge A. 1971. *Value Engineering : A systematic approach*. McGraw Hill

Co. New York. 286 pages

[54] Murray-Rust H, Snellen W B. 1993. *Irrigation System Performance Assessment and Diagnosis*. International Irrigation Management Institute. 148 pages

[55] Newell F H. 1916. *Irrigation Management*. D. Appleton and Co. New York-London

[56] Nieble B. 1985. *Engineering Maintenance Management*. Marcel Dekker, Inc. New York and Basel. 327 pages

[57] Olsen M. 1965. *The Logic of Collective Action : Public Goods and the Theory of Groups*. Cambridge, Harvard University Press

[58] Ostrom E. 1986. *An Agenda for the Study of Institutions*. Public Choice 48: pp 3~25

[59] Ostrom E. 1990. *Governing the Commons : The Evolution of Institutions for Collective Actions*. Cambridge University Press. New York

[60] Ostrom E. 1993. *Crafting Institutions for Self-Governing Irrigation Systems*. Centre for Self Governance, Institute for Contemporary Studies, San Francisco, California

[61] Ostrom V, Ostrom E. 1977. *Public Goods and Public Choices*. In Alternatives for delivering Public services, Towards improved performance, ed. E. S. Savas pp 7~49. Boulder: Westview Press

[62] Pinstrup-Andersen. per. . 1994. *World Food Trends and Future Food Security*. IFPRI Report. 25 pages

[63] Pinstrup-Andersen P, Pandya-Lorch R, Rosegrant M. 1997. *The World Food Situation : Recent Developments , Emerging Issues and Long Term Prospects*. 2020 Vision Food Policy Report, The International Food Policy Research Institute, Washington D C

[64] Plusquellec H. 1988. *Improving the Operation of Canal Irrigation Systems*. The Economic Development Institute of the World Bank, Washington D. C. 155 pages

[65] Population Action International. 1995. *Sustaining Water : an Update* : revised data for the Population Action International Report, Sustaining Wa-

ter: Population and the Future of Renewable Water Supplies

[66] Rogier D, Coeuret C, Bremond J. 1987. *Dynamic Regulation on the Canal de Provence*. In: Zimbelman, Planning Operation, Rehabilitation and Automation of Irrigation Water Delivery Systems. pp 180~200, ASCE

[67] Rosegrant M W, Ringler C, Gerpacio R V. 1997. *Water and Land Resources and Global Food Supply*. 23rd International Conference of Agricultural Economists, Sacramento. California

[68] Schultz E(ed). 1990. *Guidelines on the Construction of Horizontal Subsurface Driainage Systems*. International Commission on Irrigation and Drainage, Working Group on Drainage Construction

[69] Seckler D, Amarasinghe U, Molden D, Silva R D , Barker R. 1998. *World Water Demand and Supply 1990 ~2025* : *Scenarios and Issues*. Research Report 19. International Water Management Institute. Colombo, Sri Lanka. 40 pages

[70] Serageldin I. 1995. *Toward Sustainable Management of Water Resources*. *Directions in Development*. The World Bank. 33 pages

[71] Skogerboe G V. 1990. *Development of the Irrigation-A Learning Process*, Irrigation and Drainage Systems Vol 4. No. 2. pp 151~170. Kluwer Dordrecht

[72] Small L E, Svendsen M. 1990. *A Framework for assessing irrigation performance*. Irrigation and Drainage Systems Vol 4. No 4: pp 283~312

[73] Snellen W B. 1996. *Irrigation Scheme Operation and Maintenance*, Irrigation Water Management Training Manual No 10, FAO, Rome

[74] Snellen W B. 1997. Service Oriented Management of Irrigation and Drainage Systems, Lectures Notes. IHE. Delft. 7 pages

[75] Suryadi F X. 1996. *Soil and Water Management Strategies for Tidal Lowlands in Indonesia*. PhD Thesis. IHE Delft, Balkema Publishers Rotterdam/Brookfield

[76] Tang S Y. 1994. *Institutions and Collective Action* : *Self Governance in Irrigation*. Institute for Contempary Studies Press, San Fransisco

[77] Tardieu H, Plantey J. 1999. *Balanced and Sustainable Water Management: the Unique Experience of the Regional Development Agencies in Southern France*. ICID Journal. Vol 48:1, pp 1~5

[78] Thuesen H G, Fabrycky W J. 1964. *Engineering Economy*. Prentice Hall, Inc. Englewood Cliffs, N. J. 525

[79] Turral H N, Chien N V, Dung D V, Suu N T, Tan N V, Malano H M. 1997. *Modelling and Monitoring of System Operation at La Khe Irrigation District*. Ha Dong, Vietnam. 14 pages

[80] UNCED. 1992. United Nations Conference on Environment and Development, Agenda 21

[81] United Nations Population Division. 1996. *World Population Prospects: the 1996 Revision*. New Tork, The United Nations

[82] Uphoff N, Ramamurthy P, Steiner R. 1991. *Managing Irrigation: Analysing and Improving the Performance of Bureaucracies*; Sage Publications. New Delhi. Newbury Park, London

[83] Verhallen J M, Huisman P, Korver L. 1997. (in Dutch), *Integraal Waterbeheer*. Rijksinstituut voor Integraal Zoetwater beheer en Afvalwaterbehandeling. RIZA, RWS Lelystad. 285 pages

[84] Victoria State Government. 1986. *Corporate Planning in Victorian Government* (Australia). Extracts from Concepts and Techniques. Programme Budgeting; Strategy for Continuing Development, Department of Management and Budget Program Development and Review Division. 125 pages

[85] World Bank. 1993. *Water Resources Management*, a World Bank Policy Paper. Washington D C

[86] World Bank. 1997. *Rural Development: From Vision to Action*. A Sector Strategy. Washington D C. 187 pages

[87] World Bank/UNDP. 1990. *Irrigation and Drainage Research: A Proposal for an Internationally-Supported Program to Enhance Research on Irrigation and Drainage Technology in Developing Countries*. 21 pages